日本のバブル崩壊を超える大惨事

「中国大恐慌」時代が始まった!

石平
Seki Hei

ビジネス社

はじめに

本年2月23日、中国共産党中央財経委員会は習近平総書記の主宰で全体会議を開き、今後の経済振興策を打ち出した。

これまで幾度も解説してきたとおり、習近平政権の下では慣例に反して、中央財経委員会のトップである同委員会主任を習氏自身が〝兼任〟している。ということは、中央政府の国務院にとって代わり、事実上の経済運営の司令塔となっているわけだ。本来のトップは李強首相だけれど、実は彼は副主任に格下げされている。

昨今の中国の経済状況がきわめて悪化するなか、同委員会（＝習近平）がどのような経済振興策を打ち出すのか、当初より関心の的となっていた。

23日に開催された同委員会は久しぶりに深刻な経済問題に対処して「3つの振興策」を打ち出した。それは以下のとおりであった。

①大規模な企業設備更新の推進

②中古消費財の淘汰と新品への買い替えの推進
③物流コストの低減

このなかの①と②についての狙いは当然ながら、現在の消費不況からの脱却を目指して、需要を創出することにある。要は各企業は新規設備を導入しろ。各家庭は古くなった車や電気製品を最新モデルに買い替えろ、と尻を叩いているわけである。それが実現できたら、現在、瀕死の状態にある中国経済への絶好のカンフル剤となろう。

しかしながら、中国共産党中央政府がこのような推進策を打ち出すこと自体が頓珍漢《とんちんかん》であり、本末転倒もはなはだしい。本来、企業が設備更新を行うかどうかは企業側の〝経営判断〟によるものに他ならない。中央政府が関与するものではない。

ましてや個人（家計）が自分たちの使う消費財を買い替えするかどうかは、まったく個々人の判断に委ねられる。きわめて私的領域における消費行動に収斂《しゅうれん》されるものだ。

したがって、習政権が打ち出した上述の振興策は、まったく市場原理を無視した統制経済のカビの生えた発想でしかない。さらに言うならば、政治権力が企業経営や個人の消費行動・私生活に干渉してくる危険性をはらんでいる。

例えば、中央政府がどうしても企業の設備刷新や個人の消費財の買い替えを強行に促すのであれば、企業に対する大型減税や家庭に対する減税などの景気刺激策を打ち出さねばならない。

知ってのとおり、コロナ禍においては一部の国の政府は、国民に現金あるいは商品券をまんべんなく配って消費を刺激した。だが、前述の習近平を頂点とする中央財経委員会会議は、国民に対する現金配布や減税などのような景気刺激策を一切打ち出していない。

そうした消費刺激策を実施しないのに同委員会は「企業は設備を更新せよ！」「国民は消費財を買い替えよ！」となかば強要するのは、筆者に言わせれば、中国政府は政策責任を〝放棄〟し、企業と一般国民に経済振興の責任を負わせようとしている。こんな無意味な政策を筆者はこれまで聞いたことがない。

百歩譲って中国政府としては国有企業と公務員に対して、設備更新や消費財の買い替えを強要することは許されるのだろうが、それで得られる経済効果はあくまでも限定的でしかない。

なぜなら現在、中国企業の98％を占めるのは民間企業であるからだ。国有企業に勤める人たちはせいぜい１０００万人程度しかない。

民間企業に勤める人たちは資金の余裕があれば、政府が促さなくとも自らの経営判断により設備更新をするし、市井の民はお金に余裕さえあれば新しい車や家電製品などの消費財の買い替えに動くものである。要は、余計なお世話というものであろう。

読者諸氏もご存知のとおり、現在の中国経済は不動産不況に端を発したおおいなるデフレ圧力にさらされている最中である。はなはだしい内需不足から物価の下落が止まらない。その証拠に、中国の長期金利は〝過去最低〟まで低下し、今後も一段の金融緩和を進めなければ、一般企業はやりくりできずに万事休すというところまで追いつめられている。生き残るのが精一杯で設備更新するどころではない。

ひるがえって、大半の国民も塗炭の苦しみにあえいでいる。リストラや大幅減給が拡散するなか、住宅ローンや自動車ローンの支払いに追われ、自分たちの生活を守れるかどうかの瀬戸際に立たされている。

そんな現実に翻弄《ほんろう》され右往左往させられる折、天下の暗君である習近平から「消費財を買い替えよ」とのお達しがあった。一般国民に向けた彼の呼びかけ、要請は暗君の〝冗談〟にしか伝わらない。

今回の習近平によるお達しは確実に「政策ごっこ」倒れに終わるのであろう。

いま、多くの民間企業や一般国民が経営や生活を守るために歯を食いしばって耐えている真っただなか、習近平が「なぜお前たちは設備更新をしないのか、なぜ消費財を買い替えないのか」と促す姿は、筆者にはいかにも滑稽《こっけい》に映って仕方がない。

こうした頓珍漢な姿は誰かを彷彿《ほうふつ》とさせる。そうだ。中国の西晋《せいしん》王朝の時代の恵帝《けいてい》である。

臣下から「国民は食べ物がなくて餓死者が続出しております」との報告を受けた恵帝が「みなどうして肉粥（ひき肉の入った粥）を食さないのか」とあっけらかんと言い放ったのは、中国の歴史のなかでは有名な逸話である。

これはいわば「パンがなければ、ケーキを食べればいいじゃないの」というセリフで一世を風靡《ふうび》？　した18世紀フランス・ブルボン朝の王妃、マリー・アントワネットの中国版であろう。

そしてその現代中国版が習近平による「企業は設備を更新せよ。国民は消費財を買い替えよ」というお言葉になる。

ちなみに西晋王朝の暗君・恵帝の時代において八王の乱と称される大戦乱が起きた。306年に食中毒で恵帝が没し、その後10年で西晋は滅亡した。そんなオチがある。

現代の恵帝と目される習近平が荒廃した中国をどういう末路へと導いていくのか、考えるだけでおぞましい。

なお本書はYouTube「石平の週刊ニュース解説」をベースに、最新の現地情報やその後の国際情勢の変化、YouTube送信時には気付かなかった視点を加え、大幅に加筆したものである。

石平

2024年3月

第2章 噴飯物の中央経済工作会議の内幕を暴く

第3章 わが国はビジネス不適格国と宣言した中国の異常

第4章 台湾併合戦争は遠のいたのか？

第5章　李克強急死がもたらす動乱の時代の幕開け

第6章　習近平に屈辱の旅となったAPEC首脳会議

第7章　仕上げの段階に入った毛沢東と習近平の同列化

第8章 再開された反腐敗闘争

第9章 側近すら信用できぬ習近平の疑心暗鬼

終章 外務大臣をめぐる暗闘

第1章

恒大集団破綻で最後に笑うのは許家印会長なのか？

本気で再建を図るつもりなど毛頭ない恒大集団側

米国で連邦破産法第15条の適用を申請した思惑

２０２３年9月28日、中国不動産開発大手の恒大集団（エバーグランデ）創業者の許家印《きょかいん》会長が法律違反の疑いで当局に拘束された。それに先立つ25日に、恒大集団の夏海鈞《かかいきん》元最高経営責任者（ＣＥＯ）と潘大栄《はんだいえい》元最高財務責任者（ＣＦＯ）が身柄を確保されていた。

政府当局が恒大集団の最高経営陣の捜査・摘発に踏み切ったことから、恒大集団に残された再建の可能性は完全に潰《つぶ》された。中国屈指のデベロッパー大手は事実上の死刑宣告を受けたといえる。そして恒大集団が背負う負債2兆４０００億元（約49兆円）のうち、少なくとも11兆６０００億円の債務分の返済はほとんど不可能となった。

しかし不可解なのは、なぜ中国政府は恒大集団と許会長に再建あるいは延命のための時間的猶予を与えず、法的措置の発動でいわゆる「恒大殺し」を急いだのであろう。政府は恒大集団が残した莫大な債務を自ら引き受ける覚悟なのか。それはあり得ない。

一方、恒大集団側は死刑宣告を淡々と受け止める振る舞いを見せており、自らの死を〝積極的〟に迎えるような奇妙な姿勢を示している。

実際、政府当局の発表やマスコミ報道を待たずして、「許会長が強制措置を受けている」と真っ先に発表したのは恒大集団側であった。25日に当局からの調査を受けた恒大集団は「新規債券の発行はできない」と発表、香港株式市場での同社株価は25％の暴落となった。そして28日、許会長拘束発表に先立ち、恒大集団は香港証券取引所での株式売買を同日から停止するとも発表した。

これまで自らの不祥事や危機的状況をできるだけ隠蔽《いんぺい》して延命を図るのが中国国内企業の一貫したやり方であった。だが今回に限り、恒大集団が当局から調査を受けていることや許会長拘束の一件を迅速かつ素直に発表したのは、いかにも不可思議なことで、まさに謎である。

この謎に対する一つの合理的解釈を見い出すための鍵は、恒大集団が昨年8月17日、ニューヨークで破産申請をしたことにあるのではないかと、筆者は思う次第だ。恒大集団はニューヨークのマンハッタン地区連邦破産裁判所に対し、連邦破産法第15条の適用を申請した。この条項の適用により、米国籍以外の企業（すなわち恒大集団）が、米国内の資産を保護する目的で資産の強制的な差し押さえなどを〝回避〟できることになった。

ここで出てくる可能性の一つは、恒大集団はこれまでかなりの資産を米国に移していて、そのなかには許会長以下経営陣の個人資産が何らかの形で組み込まれていることであろう。そうなると、恒大集団本体が破産しても、米国にある許会長ら経営陣の個人資産は〝保護〟されて手元に残せることになる。

彼らには恒大集団の破産はすでに織り込み済みであり、本気で再建を図るつもりは毛頭ないと筆者は思う。下手に延命を図ろうとすれば、逆に負債は雪だるま式に膨らむことから、早めに破産したほうが良いとの判断となったのであろう。だからこそ、恒大集団は前述のように、自分たちが抱える不祥事や危機的状況を自ら進んで公表し、破綻を急ごうとしたのである。

恒大集団側にしてやられた中国政府当局が反撃

一方、政府当局にすれば、恒大集団が再建への努力を自ら放棄し、よりによって米国で破綻申請を出したことはまさに裏切り行為である。到底許せることではない。特にいまの習近平政権にとっては、これは単なる経済問題ではなく政治的問題でもある。おそらく昨年8月に恒大集団が米国で破綻申請を出した時点から、当局は腹をくって法的強制措置を前提にして捜査を始めたのではないかと思われる。それが昨年9月28日の許会長拘束につながった。

ところが、当局の動きは恒大集団側の思うツボではなかったか。これで念願の早期破産がかなって、莫大な債務の処理を政府に押し付けることができるからだ。他方、経営陣の個人資産のかなりの部分は米国で保護される見通しとなっているから、彼らの未来はすでに保証されている。

当然ながら、今回の当局の措置で、許会長以下の最高幹部たちは厳しい懲罰を受けて刑務所暮らしとなる公算大である。けれども彼らにしてみれば、数年前から海外へ逃げる道は断たれたとはいえ、海外にいる親族たちに資産を残すことができればそれで御の字なのであろう。

恒大集団で要職を務める許家の次男は許会長と同じ運命になる可能性が高い。けれども、最近離婚した彼の前妻と長男はカナダ国籍を持っており、いまは確実に海外にいる。許会長は結局、捨身の作戦で親族のための海外資産保全に成功したように見えるが、自らが創建した恒大集団という企業とその債権者たちは今後どうなるのか。それはもはや彼の知ったことではないのであろう。

当局のほうはどうなるのか。今後、恒大集団の背負うべき債務の処理を肩代わりするしかないし、恒大集団破産は中国の不動産市場と中国経済全体に大打撃をもたらすに違いない。結局、資本家VS政権の戦いで最後に笑うのは許会長たちであり、馬鹿を見るのは習近平政権なのである。

本年1月29日、香港高等法院（高裁）は実効性を有する債務再編策を出せない恒大集団に対して「清算命令」を出した。

中国政府は30年前の日本の不動産バブル崩壊を徹底研究し、かねてより「日本の轍《わだち》は踏まない」と豪語してきたが、それは空念仏《からねんぶつ》に終わる気配濃厚である。と、ここまで書いていて校正作業中の3月18日になって恒大集団の傘下企業恒大地産が、中国証券当局である中国証券監督管理委員会から罰金を科せられたというニュースが飛び込んできた。売上高の虚偽、純利益の水増しなどが理由だ。なんとその罰金額が法外だ。なんと41億７５００万元（約８８０億円）というから、実際に払えるわけはないだろう。

さらに恒大集団は24日に連邦破産法申請の撤回をしたと発表している。これで同社の債務再編は不透明感が強まる一方だ。

この一連の流れは習近平政権の巻き返しと見ることもできるだろう。許会長らの「逃げ得」を許さないという政権の意趣返しかもしれない。いずれにせよどのような決着を見るのか、水面下で激しい攻防が行われているのは間違いないだろう。

中国最大の弱点はあまりにも貧弱な中産階級層

対GDP個人消費率が4割未満という現実

2023年10月5日、中国国際金融有限公司（中金）が毎年の恒例行事である「中国財富報告」を発表した。中金による調査・分析に基づき、現在の中国における富の分配の状況をレポートしたものである。

同レポートによると、中国の国民資産の総額は790兆元（約1京6121兆円）。2021年年末時点での日本の国民資産約1京2445兆円を上回るとはいえ、人口比率からすれば中国国民の一人当たり平均資産は日本人の10分の1程度でしかないことが判明した。

中国の国民資産のうち、国家が保有する資産は360兆元、全体の45・6%を占める。個人資産430兆元のうち、総人口の0・33%を占める460万人の富裕層が290兆元の資産を持ち、それは全国民の個人資産の67・44%を占める。これはあまりにもいびつな富の集中といえよう。

その一方、総人口の7・05%である9900万人の中産階級が持つ個人資産総額は110兆元余、一人当たりで111万元余(約2265万円)。中国で中産階級とされる人々の資産額は世帯単位で見れば日本の富裕層の平均よりもやや多い。ところが、問題は中産階級の人数があまりにも少なく、階層として極めて〝脆弱《ぜいじゃく》〟である。

富裕層、中産階級以外の「その他の群衆」は約13億人、総人口の92・6%を占める。彼らの所有する個人資産総額は約30兆元、個人資産全体の3・8%。一人当たりにすると2・3万元(約47万円)にすぎない。

人口の92%以上を占める民衆の持つ資産は、個人資産全体の4%未満である。そして「世帯単位」の平均資産は日本円にして150万円以下である。あくまでも平均値だが、実際には確実に数億人単位の人々が無一文の〝赤貧状態〟にあると考えられる。

このような異常な富の分配状況は、内需の決定的不足という構造問題を産み落とした。対GDP個人消費率が4割未満で日本の6割、米国の7割を大きく下回っていることの最大の理由はここにある。

さらに内需を致命的に貧弱にしたのが大手デベロッパーを窮地に追い込んだ、いわゆる総量規制（デッドライン発令）であった。日本が不動産バブル崩壊を招いた主因がこれだった。日本同様、中国の不動産関連事業は極度な不振に陥った。

前述のような富の分配の構造がもたらすもう一つの結果は、中国社会の不安定化である。社会の安定にもっとも寄与する中産階級階層があまりにも薄く、数億人単位の赤貧階層が存在している状況下では、社会的動乱が起きる危険性に常時さらされていると言っていいだろう。

詳細は後の章に譲るが、最近の習近平政権が人民武装部の設立や民兵組織の再建を急いだり、楓橋《ふうきょう》経験の広がりを推奨したりすることの背景にも、こうした中国が抱える深刻な社会問題が横たわっている。楓橋経験とは、中国で国民が相互に監視する治安活動のこと。今年3月に全人代で李強首相が「新時代の楓橋経験を発展させる」と発言して注目されている。

中国が第二の日本にならないのは本当か

最近、中国経済の沈没が明確化しているなかで、「それでも中国は〝第二の日本〟にはならない」という論調が出回り始めている。要するに、中国経済はいくらダメになっても、バブル崩壊後の日本の惨状にならないだろう、というものである。

こうした論調を積極的に展開させているのは当然、中国人自身である。例えば今年3月、中国の駐日大使の呉江浩《ごこうこう》氏は日本の経済誌からのインタビューを受けるなかで、中国経済の今後について語るときにはやはり、「中国は〝第二の日本〟になるまい」という定番の言葉を口にして日本のことを小馬鹿にしている。

もともと「夜郎自大《やろうじだい》」という四字熟語を生み出した国の大使だから、そんな馬鹿なことを言い散らすのは分からないでもない。しかし問題は日本の一部の「識者」やマスコミも中国の調子に乗せられて、同じことをオウム返しするところにある。これで一般の日本人の多くは同じ認識を持つようで、こうした論調に反論しなければならない。

しかし反論といっても実は、筆者の最終の結論は言葉どおりにおいては、前述の中国阿呆大使のセリフとまったく同じだ。

確かに、「中国は〝第二の日本〟にはならない」である。

もちろん私の言っていることの意味は彼と正反対だ。私が言おうとしているのはむしろ、中国には「第二の日本」になるほどの資格はまったくなく、なりたくてもなれるわけはない、ということである。

確かに日本は、1990年代初頭にバブルが崩壊してから長い経済の低迷を続けて苦しんでいた。しかし中国と状況が異なるのは日本の場合、まず技術力の高い世界有数の基盤産業を築き上げてからバブルの崩壊を経験したことだ。バブル以前の1980年に日本の自動車生産台数はすでに米国のそれを超えて世界一となっていた。あるいは日本の半導体産業は一時に世界のシェアの7割を占めることとなった。こうした堅実な産業基盤があるからこそ、バブル崩壊後の長い低迷期において日本の経済全体は崩壊せず何とか持ちこたえることができた。

しかし中国の場合、これといった先端産業を育てる以前からまずは不動産バブルをやり、つい最近まで不動産開発が経済の3割までを作り出して中国経済の「支柱産業」となっている。つまり産業立国の日本に対し、中国はまさに「不動産立国」。現在、この中国では日本以上の不動産バブル崩壊が現実に起きているが、「支柱産業」が潰れた後に何か残るのか。

　確かに、中国はいまEV自動車に力を入れて輸出のシェアを拡大している。しかし中国のEV自動車産業は高い技術力によってではなく政府による法外な補助金給付で成り立っているものである。米国とEUは、それを問題視して中国からのEV車輸入を規制する方向で動いている。おそらく米国やEUの規制が発動された暁には、中国のEV車産業は破滅的な打撃を受けて直ちに沈没してしまうだろう。

　一国の経済レベルと国民生活水準を計るのに最重要な「一人当たりの国内総生産（GDP）は先述のとおりである。日本では、例えばバブル崩壊直後の1992年一人当たりGDPはすでに3万2000ドルを超えて世界有数の裕福な国となっている。それに対して2023年の中国の一人当たりGDPは1万2541ドル、30年前の日本のそれの4割以下である。

　しかも中国の場合、たいへん激しい貧富の格差があるから、大半の国民は実は、「一人当たりGDP」のレベルよりもはるかに貧しい生活をしていることも述べたとおりだ。例えば中国の李克強前首相は2020年5月の記者会見で、「中国では6億人の月収が千元（1万5000円）」との数字を披露して世界を驚かせたが、それ以来の数年間、経済状況がさらに悪化しているから、いまはもっとひどい数字となっているはずであろう。

よく考えてみよう。総人口14億中の6億人が、日本円にして1万5000円程度の月収で生活しているような国。そんな国が「第二の日本」になるかどうかのような話は、最初から馬鹿げているのではないか。

ここではっきりと断言しておこう。不動産バブル崩壊の中国は「第二の日本」にならない。日本はバブルの崩壊後、底力を発揮して長い低迷期を乗り越えて見事な復活を成し遂げている最中だが、それに対して今後の中国はどうなるか。おそらく不動産バブルの崩壊にとどまらずに経済全体が崩壊してしまい、失業はさらに拡大して社会全体が絶望的な停滞期に入り、社会的大動乱が起きてしまう可能性は十分にあろう。

2023年に入ってから、中産階級を含めた多くの中国人は、ビザなしで入国できる南米諸国を経由してアメリカへの密入国をたくらむケースが急速に増えている。彼らのなかには、南米の国々から何千キロも歩いてアメリカを目指す人もいる。この凄まじい行動の原動力となっているのは、まさに彼ら中国人の自国の真っ暗な未来に対する絶望であろう。

そんな国の一体どこかが、「第二の日本」になるというのか。

中国のＧＤＰ５・２％成長は乱暴な数字捏造

固定資産投資分野の伸びに向けられる疑念

本年1月17日、中国国家統計局は２０２３年の重要経済数値を公表した。それによると、昨年一年間のＧＤＰ（国内総生産高）は１２６兆５８２億元、実質で前年比５・２％増であった。

そのうち社会消費品小売総額（消費）は47兆１４９５億元、前年比７・２％増。固定資産投資総額は50兆３０３６億元、前年比３％増となった。また、対外輸出総額は23兆７７２６億元、前年比０・６％増であった。

大づかみに言えば、「消費」「固定資産投資」「輸出」の三つが総額で１２１兆２２５７億元、２０２３年のＧＤＰの96％以上を作り出していることになる。したがって、国家統計局が公表したＧＤＰ５・２％増は、主にこの三分野の成長率、すなわち消費７・２％増、固定資産投資３％増、輸出０・６％増により達成されたものとなる。

しかしながら、国家統計局が算出したこの三分野の伸び率のうち、少なくとも二つはまったくの〝捏造《ねつぞう》〟であることは、ちょっと調べればすぐに分かるのである。

まずは輸出だ。国家統計局が公表した2023年の対外輸出総額は23兆7726億元。もしそれが前年比0・6%増であれば、2022年の輸出総額は当然2023年のそれよりも0・6%少なく、23兆6299億元だったはずである。

ところが、同じ国家統計局が2023年1月に公表した2022年の輸出総額は23兆9654億元と、逆に2023年のそれはより多い。つまり2023年の対外輸出はマイナス成長、約0・8%減のはずである。「0・8%減」であったところを「0・6%増」としたのはまず、国家統計局による悪質な数字捏造の一つである。

次は固定資産投資を見てみよう。国家統計局の発表では、2023年の固定資産投資は前年比3%増だから、それは当然GDPの5・2%増に貢献している。だが、この肝心の「3%増」についても実は、まったくの捏造なのである。

国家統計局が発表した2023年の固定資産投資総額は、前述のとおりの50兆3036億元。もしそれが前年比3%増であるならば、2022年の固定資産投資は当然2023年のそれより3%少なく、48兆7944億元となる。

しかし、同じ国家統計局が2023年1月に公表した2022年の固定資産投資総額は57兆2138億元と、2023年のそれはより12%以上も多い。つまり、同じ国家統計局が発表した2022年と2023年のそれぞれの固定資産投資総額を簡単な算数で計算すれば、2023年の固定資産投資は決して3%増ではなく、前年比12・08%減である。

実際には12・08%減であるのを3%増に偽造し、それに基づいて経済成長率5・2%増を算出するのは、あまりにも拙劣にして乱暴な数字捏造といえよう。

23年GDPは確実にマイナス成長

国家統計局が発表した数字からすると、2023年の固定資産投資は中国のGDPの約40%を占めており、対外輸出はまた約19%を占めている。そして前述のように、2023年の中国のGDPの59%を占めるこの二つの分野は両方ともマイナス成長である。

しかもそのうちの固定資産投資が12%以上のマイナス成長となっていることから、2023年の中国のGDPは前年比ではマイナス成長となっていることは確実である。

それは実は、中国の財政部（財務省）が公表した、ほぼ同じ時期の税収関連の諸数字によっても裏付けられている。

財務部の数字では、2023年1~11月において国内消費税は4・1%減、個人所得税は0・5%減、企業所得税は6%減となっていた。個人所得税と企業所得税が揃ってマイナス成長となっている国で、年間のGDP成長率が「5・2%増」となることなどあり得ない。GDPは確実にマイナス成長であろう。

この成長率5・2%増という数字に関し、中国の李強首相は本年1月16日、まずは訪問先のスイスで誇らしげに披露した。そして17日には国家統計局がそれを公式発表した。

ところが、中国の株式市場の反応はまったく冷ややかな反応を示した。17日、上海総合指数は2・09%の大幅下落を見せた。これは2020年6月以来の低い数字であった。

このように、中国政府の発表した高い成長率を中国の株式市場でさえまったく信用していない。

その一方、海外でも中国政府の発表した成長率に疑問を呈する声が上がった。1月19日の日本経済新聞が報じたところによると、米国の一部の民間調査会社は「中国のGDP5・2%成長は固定資産投資の伸びを過大評価したことの結果」と分析、実際の成長率は1・5%程度と指摘した。

ウソはやはり、見破られる運命にある。

COLUMN

前代未聞の国防相空席という異常事態

昨年10月24日、中国の習近平家主席は全人代常務委員会の決定に基づき国家主席令を発令し、李尚福《りしょうふく》氏の国防相を解任すると同時に、彼が兼任する国務委員についても解任した。李国防相の失脚はその2カ月前から既定の流れであった。一方、昨年7月の秦剛《しんごう》外相解任のとき、まずは外相職を解任され、兼任の国務委員職は一時的に保留されていた。ところが、李氏の場合、国防相解任と同時に兼任の国務委員職も解任された。これで彼に対する処分は秦剛氏の場合よりも厳重であることが分かる。

しかしこの件に関して、李氏の国防相解任よりも大きなニュースとなるべきなのは、彼の解任と同時に〝新たな〟国防相が任命されなかったことであろう。

同じく10月24日、習主席は国家主席令をもって財務相と科学技術相の解任も行ったのだが、それと同時に新たな財務相と科学技術相を直ちに任命した。7月の秦剛氏解任のときも、解任と同時に王毅《おうき》氏を再び新外相に任命した経緯がある。

こうしてみると、新たな国防相を任命しなかったのは、あまりにも異例であることが分かる。実は中国の現体制下では、国防省に〝副大臣〟が設置されていない。ということは、新たな国防相が任命されなかったことで、当時の中国国防省は完全にトップ不在で、国防相代行すらいなかった。国防相不在は、中国共産党政権が成立して以来初のこと、まさに前代未聞の異常事態といえた。

こうした状況下、中国軍が主催する「香山フォーラム」という多国間安全保障会議が昨年10月30日、北京で開催された。同フォーラムには一部の国々の国防相も含めて各国の安全保障責任者・識者が出席することになっており、ホスト役を務めるのは当然中国の国防相であった。

同フォーラムには、ロシアのショイグ国防相、ミャンマーのティンアウンサン国防相（兼海軍大将）らが参加したが、肝心のホスト役の中国国防相は不在であった。招待する側の中国が国防相を出さないのは、外交的にもかなりのまずい事態といえた。

それでは習主席は、なぜ李氏の解任と同時に新たな国防相を任命しなかったのか。それが最大の謎であった。李氏の解任が既定方針であったことから、習主席には新たな国防相の人選を考える時間的余裕は十分にあったはず。なぜ選定しなかったのか？

一つの合理的な解釈として考えられるのは、いまの中国軍上層部には、習主席が国防相として使える信頼に足る人物が一人もいなかった、ということである。だから、習主席は苦慮の末、さまざまな問題が生じてくるのを百も承知の上で、国防相を空席のままにしておくという普段ではあり得ない選択をしたのではないか。

仮にそうであれば、その意味するところは習主席と中国軍は決して一心同体の協力関係ではなく、むしろ習主席が軍全体に対して深刻な〝不信感〟を抱いていることになろう。

実は昨年7月末、習主席の手により中国軍の4大軍種の一つであるロケット軍の司令官交代が行われた。そのときに習主席が新司令官として任命したのはロケット軍の生え抜きの幹部ではなく、海軍から引っ張り出してきた門外漢の〝部外者〟であった。

これで習主席がロケット軍の幹部を誰一人として信用してないことが分かったのだが、今回の国防相不在人事でも、どうやら主席の不信感は軍幹部全体に広がっている模様である。

しかしそれでは、軍事委員会副主席を務める張又俠《ちょうゆうきょう》氏や何衛東《かえいとう》氏など数名の習主席の腹心軍人以外の軍幹部たちの習主席への不信感は高まる一方と思われる。

そして李尚福国防相が解任された約2カ月後の12月29日、中国全国人民代表大会（全人代）常務委員会は空席になっている防相に董軍《くんぐん》・前海軍司令官を充てる人事を発表した。

第2章

噴飯物の中央経済工作会議の内幕を暴く

中央宣伝部、国家統計局、国家安全部による八百長政策

重要会議を蹴飛ばしてベトナムに逃げた習近平

昨年12月11日、12日の両日、中国共産党政権は年に一度の「中央経済工作会議」を開催した。

これは毎年の年末に開かれる恒例の会議で、翌年の経済運営の方針を打ち出す重要会議として位置付けられているものだ。中国経済が崩壊途上の状況であることから、どのような〝救命措置〟が打ち出されるのかが、かねてより注目されていた。

なかでも最大の焦点は、会議に対する習近平主席の姿勢であった。会議開幕の11日、習主席は最高指導部メンバー全員を率いて出席し、恒例の「重要講話」を行った。ところが、習主席は翌12日の会議については、ベトナム外遊のため欠席した。

新華社通信の報道によると、彼がハノイに到着したのはその日の正午頃。この到着時間から逆算すれば、習主席が出発したのは12日の朝であるはずで、2日目の「中央経済工作

会議」を完全に欠席したことが分かる。

２０１２年11月に習近平政権成立以来、毎年恒例の「中央経済工作会議」に習氏自身が途中欠席するのは初めてで、異例なことであった。今回の場合、ベトナム訪問出発のために会議を途中欠席と解釈することもできようが、それなら習氏自身の一存で会議を１日早めに開くこともできるわけだから、ベトナム訪問は途中欠席の理由にならない。

結局習氏は、「党総書記」兼「中央財経委員会主任」として中国経済運営の司令塔でありながら、２日目の本年の目玉である経済救済措置を発表する場面を意図的に回避した。これは、自らの〝責任回避〟を図ったものと思われる。すなわち、習氏自身が本年の経済運営に自信を失っていることの証左でもあろう。

最高指導者がこのようないい加減な姿勢を見せたことで、当然ながら中国の民間経済は中央経済工作会議の無策に〝失望〟を禁じ得なかった。それは会議閉幕の翌日、12月13日の株市場の反応を見れば明らかであった。

12日、それまで上海総合指数は３０００ポイントの大台を維持していたが、13日の取引開始直後からいきなり３０００ポイントを割ってしまい、前日比34・68ポイント（1・15％）安の２９６８・76ポイントで取引を終えた。

同日の深圳《しんせん》株式市場においても、深圳総合指数は1・21％安となった。14日、15日の両日とも上海株は下がり続け、15日には2942・55ポイントの終値でその週の取引を終えた。本年の経済運営の方針を示せなかった中央経済工作会議は株式市場から完全に見放されたのであった。

経済措置として初めて用いられた政府主導の楽観論

こうなったことの最大の理由は、「中央経済工作会議」が来年の経済運営の方針に関して、空疎《くうそ》なスローガンの羅列やいままでの常套句《じょうとうく》を並べる以外に、内実のともなった政策措置をほとんど打ち出せなかったことにある。だからこそ習近平自身も途中欠席という異例な対応を取ったのだが、民間の反応はやはり〝失望一色〟であった。

こうしたなか、同会議が打ち出した本年の経済運営の方針、あるいは経済救助策のうちで、一つだけ大変注目すべきものがあった。それは、「経済宣伝を強化して世論を導き、中国経済光明論（楽観論）を高らかに唱えよう」というもの。このような経済運営の方針が中央会議から打ち出されたのは前代未聞であろう。

中国国内では脚光を浴び、一部のメディアはこのフレーズをニュースのタイトルに掲げたほどであった。なぜか？　隠蔽や粉飾を常套手段とする宣伝工作は、中国共産党政権が弄する〝伝家の宝刀〟であるが、それが経済措置として使われるのは初めてのことであるからに他ならない。

それを裏返しで言えば、いまの習近平政権はもはや「宣伝工作」「世論工作」を展開していく以外に、中国経済を救済するための有効な措置を打ち出せない。それこそは中国経済が救いのない〝絶望的な状況〟に陥っていることの証左と言えよう。

既述した前代未聞の経済方針にしたがって、中国の国内メディアは早速、「中国経済光明論を唱えよう」との宣伝キャンペーンを開始するに至った。ネット上でも〝光明論一色〟の世界が出現しているが、国内メディアは今後おそらく、「経済宣伝＝粉飾工作」を行い、深刻な経済状況を覆い隠してウソ八百の中国経済楽観論を唱えていくことになろう。

だが、経済の実態と国民の実感とがあまりにもかけ離れる経済宣伝が、経済状況の改善にどれほどつながるのかは疑問以外の何物でもない。

そのような状況下であった昨年12月13日、国家統計局は康義《こうぎ》局長の主宰で、「中央経済工作会議の精神を伝達・学習する会議」を開いた。そのなかで康局長は「全局員が思想・行動の両面において習近平総書記と党中央との高度なる一致を保たなければならない」との訓示を垂れた。さらに「数字の公布と解釈を提示し、社会の予測と期待を正しく導く」ことを、統計局の今後の工作方針として発表した。

それはまた中国国内では大変注目を集めて、一部のネットニュースのタイトルにもなった。しかしながら、よく考えてみれば、そもそもが〝奇怪〟な話なのだ。

本来、経済運営の担当部門でない数字の統計を専門とする統計局が、経済救済策を打ち出した「中央経済工作会議の精神を学習する」こと自体がおかしいではないか。その上で局長が述べた「数字の公布と解釈を提示し、社会の予測と期待を正しく導く」ことは、さらに怪しい。

「数字の公布と解釈を提示する」というのは、要するに統計局が肝心の「数字の統計」よりも「数字の公布と解釈」に主眼を置くとすることを意味する。それらを提示することによって、中国経済に対する「社会の予測と期待を正しく導く」としているが、ここでの「正しく導く」はいまの中国では、政権あるいは政府の望む方向へと導くとの〝底意〟がうかがえる。

このことはまさに「中央経済工作会議」が打ち出した、「経済宣伝を強化し世論を導き、中国経済光明論を唱えよう」との方針に合致しているのである。

国家統計局は中央の経済宣伝に呼応し国内世論を「経済光明論」へと導くため、「数字の公布と解釈」を行っていくことを宣言したけれど、それは「嘘の数字の捏造宣言」そのものと言えよう。世論を「中国経済光明論」へと正しく？　導くために、国家統計局は今後、ウソの数字でも平気で発表していくことを自ら示唆しているのである。

やりたい放題となる国家統計局による数字改竄

かねてより中国の国家統計局は数字偽造の〝常習犯〟であった。

しかし今回のように、遠回しの言い方とはいえ、堂々と「数字捏造宣言」を出したのは初めてのことだ。今後の数字改竄《かいざん》はおそらく、より一層のやりたい放題となるのであろう。

統計局と並んで、本来、国家の経済運営とはまったく無関係の国家安全部（秘密警察組織）も動いた。

昨年12月15日、国家安全部（国安部）はその公式アカウントで「経済安全を守る壁を築こう」という論評を掲載した。「中央経済工作会議の精神」を受けて、国安部としては「全力を挙げて中国経済の安全を守る」ことを誓った。

国安部は次のように示している。

「反対勢力から発せられる中国経済をおとしめるさまざまな常套句が後を絶たない。その本質は『中国衰退』という虚偽の言説を作り上げ、中国の特色ある社会主義体制を攻撃し続けることにある」

国安部としては今後、こうした論調を「国家の経済安全を危うくするもの」として徹底的に取り締まることを宣言した。

つまり国安部はここで、「経済宣伝を強化し世論を導き、中国経済光明論を唱えよう」という中央経済工作会議の方針に従い、それに反する「中国経済衰退論」を秘密警察の力で封じ込めていくことを表明したわけである。

今後、中国国内ではおそらく、中国の経済状況に対して否定的意見を呈するすべての言論は取り締まりの対象となり、「中国経済光明論」のみが許されるのであろう。

こうしてみると、習近平政権が考えている今後の「中国経済救助策」の全容が何となく分かってくる。

要は宣伝部門を総動員して「中国経済光明論」を唱えながら、統計局も動員して「光明論」を支持するウソの数字を乱発する。その一方においては、秘密警察を動員し「光明論」に反する声を徹底的に封じ込める。これで中国経済はまさに前途洋々であり、バラ色一色となっていくのである。

今後、中国経済の成長を背負うのは習近平政権ならではの「三種の神器」に他ならない。それは「中央宣伝部」「国家統計局」「国家安全部」である。このようなウソで固めた経済振興策の下で、中国経済が崩壊しないほうがおかしいであろう。

ついに金融にも立ち入ってきた国家安全部

禁止される空売り

ここからは国家安全部（秘密警察組織）について、もう少し詳しく記しておきたい。

国家安全部という中央官庁は、スパイ活動と反スパイ活動を行う、国内の政治監視・体制維持を任務とする秘密警察組織である。

これまで国安部はいわばベールに包まれた秘密機関とされてきた。活動内容をいっさい公表せず、公の発言・発信は皆無に等《ひと》しかった。また、通常の活動範囲は「国家安全」に関わる領域に限定されているはずであった。

ところが、この国安部が昨年後半あたりから、ネット上で公式アカウントを新設、対外発信を行い始めた。

昨年11月2日、国安部がSNSの公式アカウントで発表した論評が国内外で大きな驚きと話題を呼んだ。「金融安全の強力な守護者になる」と題する論評は冒頭、「一部の国家と個別勢力はいま、投機のための空売り（ショート・ポジション）を繰り返し、我が国における金融の混乱を引き起こそうとしている」と断言した。

加えて、「金融分野における国家安全保障リスク」を防止する必要があると指摘し、「違法な犯罪行為を取り締まる。摘発を強めていく」と宣言した。

しかしながら、金融市場においては本来、空売りは〝通常〟の売買行為である。仮に問題が発生すれば、市場のルールでそれらを規制するのが正論であろう。国家安全部の論評は明らかに、中国の秘密警察が今後、市場の売買行為に〝介入〟し、金融市場に土足でふみ込むことを暗示している。

だが、これでは外国勢も含めて、中国の株式市場で一定の投機性を帯びる売買を行う投資家すべてが、「国家安全に抵触する」という理由から、秘密警察に摘発される可能性が濃厚となってこよう。世界共通の株式売買ルールに則《のっと》って取引しているつもりでも、中国では犯罪者として秘密警察にしょっ引かれるのである。

以上は世界の金融史上で前代未聞のとんでもない事象であるけれど、これははっきり言って、中国の〝自滅行為〟に他ならない。こんな滅茶苦茶な危険をともなう中国金融市場から外国資本は逃げ出す以外に手はないからである。

もう一つ重要なことは、国安部が今後、本来の仕事に関係のない金融領域にまで足を踏み入れてきたのは、中国の政治・経済における秘密警察の活動範囲の拡大と力の増長を意味する。

国安部は1983年に成立されて以来、同部トップである部長の党内の立場は一貫して中央委員会のヒラ委員止まりであった。ところが2022年10月の党大会で、当時の部長の陳文清《ちんぶんせい》氏は一段上の政治局員に昇進した。秘密警察トップが党の指導部入りしたのは初めてのことであった。

今後においておそらく、国安部は習近平総書記の下で、より一層活動の範囲を拡大し、政治・経済・外交・文化などの多方面に勢力を伸ばしていくこととなろう。これで中国はいよいよ、習近平独裁下の秘密警察国家となっていくのではないか。

COLUMN

出足からつまずいた「中国経済光明論」宣伝工作

本年1月19日、中国共産党の助言機関である全国政治協商会議が「2023年度経済情勢分析座談会」を開催、共産党政治局常務委員・政治協商会議主席の王滬寧《おうこねい》氏（政治局常務委員・党内序列4位）が講話を行った。

そのなかで王氏は、会議に参加した政治協商会議委員たちに対し、「わが国の経済情勢を長い目で見て、中国経済光明論を高らかに唱え、経済発展に対する国民の期待を高めよう」と呼びかけた。

習政権は昨年末に渾身《こんしん》？　の経済振興策として、「中国経済光明論を唱える宣伝工作」の展開をスタートした。前述の王滬寧講話はまさにこの宣伝工作の一環といえる。本年に入って、本来は宣伝工作とは無関係の王氏が政治協商会議で「光明論」に言及したことは実に興味深い。

政治協商会議は政権の助言機関であるが故、その全国委員には各界の専門家が多数選ばれており、全国的に影響力のある経済学者の多くが同会議のいわゆる専門家枠に入っている。例えば北京大学新構造経済学研究院の林毅夫院長、中国財政科学研究院の劉尚希院長など錚々《そうそう》たる経済学者がそれぞれ、全国政治協商会議の常務委員・委員に選ばれている。

したがって、前述の王氏の講話は、まさにそれら影響力を備える経済学者たちに対し、「中国経済光明論を積極的に唱えるように」と促すものであった。その背景には、政権が「光明論宣伝工作」を大々的に展開しているのに対し、国内の有力経済学者たちはむしろ消極的になったり、沈黙を守っているという事情が横たわっていた。

なぜなら、彼ら経済専門家がまったく根拠のない経済光明論を公然と唱えることは、結果的に己の看板を〝潰す〟ことになるからだ。挙げ句、天下の笑い者としておとしめられる。政権の宣伝工作に喜んで協力する著名経済学者はまずいない。

だからこそ、彼らを統括する政治協商会議の王主席がしゃしゃり出て来て、「光明論を唱えろ」との発破をかけたわけであった。それでも、前述の経済学者たちを含め、全国的に知名度があり影響力を有する経済学者のなかで、自らの名前を出し光明論を唱える者はなかなか現れなかった。

結局、現状に照らして見ると、「中国経済光明論」はあまりにも荒唐無稽であり、馬鹿げているわけである。国内の経済学者たちは政権の逆鱗《げきりん》に触れる危険を〝承知〟の上でも、それを唱えて自らの一枚看板を潰すようなことはしたくなかったのだ。

習政権が中国経済を救うために打ち出した乾坤一擲《けんこんいってき》の〝妙策〟は出足から頓挫《とんざ》した様子で、そのまま不発に終わってしまうのかもしれない。まさに万策尽きて一巻の終わりとなりそうな気配である。

第3章

わが国はビジネス不適格国と宣言した中国の異常

最優先された社会主義核的価値観というイデオロギー

まかりとおる前代未聞のとんでも解釈

昨年12月4日、中国最高人民法院（最高裁）は、『中華人民共和国民法典・契約編』の適用に関する若干問題の解釈を公布、それを12月5日からの施行とした。

実は2021年1月1日、中国ではそれまでの「婚姻法」「継承法」「契約法」などの民事関係の法律を総まとめとして制定された『中華人民共和国民法典（民法典）』が施行された。

その後、人民法院（裁判所）が民事裁判における上述の民法典の条文をどう解釈するかについて、最高人民法院（最高裁）は一連の公式解釈を行い、それらを公布してきた。

昨年12月4日に公布された前出の解釈はまさに最高裁によるこの一連の作業の一つであり、『民法典・契約編』の条文に対する解釈であった。施行日の12月5日からは当然、各人民法院が〝契約〟にまつわる裁判を行うときの司法判断の依拠となるため、法律そのものとなった。

ここで取り上げて問題視するのは、「最高裁解釈第17条」であり、前代未聞のとんでもない代物《しろもの》と言っても過言ではない。個々人間や企業間契約を含めて民間で交わされた契約に関し、それが法律・法規・法令に違反していない場合であっても、下記の三つのケースに当たると裁判所が解釈・判断した場合、裁判所は当該契約を無効と認定、「無効判決」を下すことができるというものであるからだ。

第17条によると、
①契約が政治安全・経済安全・軍事安全などの国家安全に影響を与えると判断した場合
②契約が社会の安定に影響を及ぼし、社会の公共秩序に違反し、社会の公共利益を損なうものと判断した場合
③契約が社会道徳から離反し、善良なる風俗に違反し、家庭倫理や人間の尊厳を損なうものと判断した場合
以上の場合、各人民法院はこの契約を無効にする判決を下すことができる、というのである。

あらゆる契約が無効になるおそれ

この新しい解釈の最大の問題は、「契約が法律違反でなくともそれを無効にすることができる」と最高裁が公然と宣言し、それを各裁判所の判断基準にしていることだ。本来、個々人間や企業間の契約は、法律違反でない限りにおいて、きちんと保障されるべきである。それは法治社会の基本であって、市場経済やビジネス活動が成り立つための大前提であることに他ならない。

「契約が法律違反でなくても裁判所の判断でそれを無効とすることができる」ということは、法治社会の常識・原則から完全に逸脱《いつだつ》するのみならず、あらゆる契約が裁判所の判断一つで〝無効〟にされるおそれを生じさせている。それでは市場経済やビジネス活動が成り立つ前提が根本からくつがえされることになりかねない。要は安定したビジネス活動は最初から期待できないのである。

さらに問題となっているのは、中国の最高裁が「契約を無効にすることができる」条件として前掲した「①②③のケース」の具体的な内容である。

①契約が政治安全・経済安全・軍事安全などの国家安全に影響を与えると判断した場合……軍事安全のことはまだしも、どのような契約が国家の政治安全・経済安全に影響するかに関しては、その範囲、程度がまったく不明瞭なものである。したがって、いくらでも拡大解釈・牽強付会、要はこじつけの解釈ができる話であるからだ。

②契約が社会の安定に影響を及ぼし、社会の公共利益を損なうものと判断した場合……その際、例えば企業間で交わされた契約が、社会の安定にどのような影響をもたらすかについて、当事者同士も不明であるし、確実な判断基準は何一つとしてない。

③契約が社会公徳から離反し、善良なる風俗に違反し、家庭倫理や人の尊厳を損なうものだと判断した場合……現代社会では、「善良なる風俗」とは何か、「家庭倫理や人の尊厳」とは何かについては、さまざまな主観的認識と個々の解釈があり、厳密に規定されるものは何一つない。

なぜか沈黙を守る日本メディアの不思議

こうして問題点を挙げてみると、以上の「①②③のケース」のどれもがいい加減なものであることが鮮明になる。

ところが、昨年12月5日からの中国では、法律に違反していない合法の契約であっても、「国家の政治安全を損なうものだ」、「社会の安定を影響するものだ」、「家庭倫理に反するものだ」と、さまざまな主観的・恣《し》意《い》的な拡大解釈を裁判所にされるならば、契約は直ちに無効にされる事態が生じてくる。

これでは契約に対する法的保障はほとんど〝無意味〟なものとなる。企業間で結ばれる契約は訳のわからない理由で、いつでも破棄されてしまう危険にさらされる。そして、そのようなビジネス環境下において安定したビジネス活動ができるはずもないし、市場経済そのものは崩壊の危機に瀕《ひん》してしまうのであろう。

むろんそれは中国企業のみに降りかかる災厄ではない。

中国で活動する日本企業、そして中国と何らかのビジネス関係を持つ日本企業についても、今後はこのような理不尽きわまりないビジネス環境に置かれることとなる。

せっかく正式な手続きを経て契約を結び、それにしたがって商売をしている途中で、「中国の政治安全を損なった」とか「中国人の家庭倫理に反している」とか、日本人には訳の分からない理由で契約そのものがご破算となる。

そんなとんでもないリスクを、中国と関わったすべての日本企業が背負っていかなければばならない。まさに2023年12月5日から、現地企業を含めた日本企業の中国ビジネス全般が重大な危機を迎えることになったのである。

本件について日本のメディアがまったく報じていないのが、筆者は不思議でならない。問題は、中国の最高裁がなぜ自国のビジネス環境の破壊につながるような〝解釈〟を行ったのかであろう。

中国国内で活動する龐九林《ほうくりん》弁護士（北京春林弁護士事務所所属）が昨年12月5日、自らの微博でその理由を語っていたので紹介しよう。

「習近平政権は契約に関する解釈を『民法典』に求めることにより、契約の保障よりも『社会主義核的価値観』というイデオロギーを最優先させた。なぜならば、そのイデオロギーこそが自国のビジネス環境の破壊、経済の崩壊も辞さないとする習近平政治の本質であるからだ」

これでは中国がますますおかしな方向に突き進むのは明白であろう。日本企業を含む外資企業にとって一日も早く中国から撤退することは、もっとも賢明な選択と断じる次第である。

昨年12月4日、中国は自ら世界に向けて、「わが国はビジネス不適格国である」と宣したといえる。

絶望の中国最大都市・上海の墜落

北京や深圳も大同小異

周知のとおり、常住人口が2400万人を超える上海市は、中国最大の経済都市である。その域内総生産（GDP）は長らく北京市、深圳市などを抑えて中国ナンバーワン都市として君臨し続けてきた。

だが、最近になって明るみに出ている一連の統計数字はむしろ、経済大都市の上海の沈没ぶりを端的に示している。

例えば本年2月中旬、不動産サービス大手のクッシュマン・アンド・ウェイクフィールド（C&W）の調査によると、昨年年末時点で上海市のAクラス賃貸オフィスの空室率が21・8％にまで上昇した。

ひるがえって日本の場合、調査時期は多少ずれるものの、昨年12月時点における東京都内主要7区のオフィスビル空室率は6・42％（三菱地所関連会社調査）であった。同じく昨年12月時点で、大阪市内大規模ビルのオフィス空室率は2・97％（三幸エステート調査）にすぎない。

東京、大阪の数字と比べると、上海のオフィス空室率が断トツに高くなっているのは一目瞭然であろう。上海におけるビジネス活動の深刻な冷え込みがきわだっていると感じるのは、筆者だけではあるまい。

上海経済の象徴の一つである上海株式市場の衰退も目立っている。ニューヨーク株式市場と東京株式市場が空前の勢いを見せているのに対し、上海株式市場の低迷は目を覆《おお》うばかりの状況だ。

上海株式市場では昨年12月に上海総合指数が3000ポイントの大台を割り込み、その後も低空飛行を続けている。他方、東京証券取引所に上場する株式時価総額は本年1月末に上海証券取引所を上回った。アジア市場において東証が首位の座を3年半ぶりに上海から奪還した。

株式市場の低迷以上に深刻なのが、上海の不動産市場の異変であろう。

2月2日、民間調査機関の上海鏈家研究院が発表したところによると、本年1月の上海市全体における新規分譲住宅の成約件数は3786件、昨年12月に比べ44％減、前年同期比では何と55％減。成約金額もやはり、それぞれ47％減、58％減と悲惨な結果となっている。

中国では毎年の1月は不動産物件の売れ行きがかんばしくないとはいえ、上海の新規分譲住宅の成約件数と成約金額がここまで落ち込んだことは筆者の記憶にない。中国最大都市上海の不動産市場の崩壊は確実に進行している。


上海経済の沈没ぶりは一般庶民の実感レベルでも如実に現れている。

いささか旧聞に属するが、昨年7月、「鏘鏘《しょうしょう》一言堂」というホームページに掲載されている一通のネット寄稿がSNSで大きな反響を呼んでいた。そのタイトルはずばり、「上海はこの有様、私たちは皆悲しんでいる」であった。

それは一人の上海っ子が、地方から来た友人を連れ上海市内を案内したときの模様を綴《つづ》ったものである。彼は上海の「良いところ」を友人に見せるべく、上海駅周辺や南京路などの伝統の繁華区域を選んで案内した。

ところが彼らが至るところで目撃したのは、次のような光景であった。

「町のお店の多くは閉店してしまい、あるいは修繕中と称して休業していた」

「南京路のかつての名店はいまやシャッターが閉まったまま、店舗名の文字が書かれた看板は醜くはがれていた」

「市内で有名な6階建てのショッピングセンターに入ってみると、客が少なすぎることでエスカレーターは動かず、飲食店もほとんど閉店していた」

上海っ子は投稿の最後、「上海は一体どうしてこうなったのか」とおおいに嘆いた。それに対して、多くの上海人が共鳴の声を上げてきたのみならず、「北京在住」「深圳在住」と称する多くのネットユーザーは一斉に、「俺の街も同じ惨状だぜ」との「自虐悲鳴大合唱」を巻き起こした。要は他の大都市においても大同小異、同じ穴のムジナだと吐露していたのだ。

昨年7月時点でさえ、中国最大都市である上海は上記のていたらくぶりをさらけ出していた。現在の姿は推して知るべしであろう。

習近平が動けば上海株が落ちる

本年2月2日、上海株（上海総合指数）は1・46％の下落を見て2730・1ポイントの終値でその週の取引を終えた。昨年12月12日まで上海株3000ポイントの大台を長らく維持してきたものの、13日についにそれを割り込んだ。以降、2月2日までの47日間、株価は9％以上も落ちた。

そして、この47日間における上海株下落の軌跡をたどっていくと、どうやら習近平主席の動きと強い〝相関性〟が見られることが明らかになってきた。

まずは昨年12月13日、上海株が3000ポイント台を割った直前の習主席の動きから見てみよう。彼は11日に始まった「中央経済工作会議」で重要講話を行い、12日にベトナムに向かった。

そして12日に閉幕した「経済工作会議」に関する情報が中央テレビ局で伝えられたのは、当日の晩。翌13日の人民日報朝刊一面に同工作会議の関連記事が習主席の顔写真とともに大きく掲載された。

その13日、上海株は取引開始から3000ポイントを割り込んで1・15％の下落、終値は2968・7であった。

株価下落の理由は中央経済工作会議が打ち出した、あまりにもいい加減な「経済振興策」に対する市場の絶望感であろうと思われた。当該経済振興策については本書「第2章 噴飯物の中央経済工作会議の内幕を暴く」に詳述したので、ご覧いただきたい。とにかく、「習近平が動けば上海株が落ちる」ということが現実に起きたわけである。

以来、上海株はずっと2900ポイント台を彷徨《さまよ》い、年明けの1月2日には2972・7で今年の取引を開始した。1月の第二週に入ってから上海株は多少落ちて2900ポイント台を割ったが、それでも大きく落ちることはなく、1月16日の終値は2893・9ポイント、2900ポイント台の回復が目の前に迫っていた。

しかしながら、この1月16日に偉大なる習近平主席様による講話がまたもや上海株をマイナスに導いてしまった。

習主席は李強首相以外の最高指導部メンバー全員を率いて中国共産党中央党校の「省・部級主要幹部の金融発展推進学習班始業式」に出席、金融に関する重要講話を行った。よりによって習主席が金融に関する重要講話を行った翌日の17日、上海株市場に再び災難が降りかかってきた。

前日16日、出張でスイスに滞在していた李強首相は昨年の中国のGDP成長率が5・2%の高い数値であることを誇らかに発表していた。にもかかわらず、直後17日の上海株は2・09%も急落、2833・6の終値で2020年6月以来の低い数字となった。「習近平が動けば上海株は下落」は再び証明された。

上海株は下がり続け、1月22日には2800ポイント台を割り、2756・3の終値をつけた。そして上海株が再び上昇を始めたのは24日であった。その日、中国人民銀行が預金準備率を0・5%引き下げるなど、中央政府が一連の経済刺激策を打ち出したことを受け、上海総合指数は2800ポイント台を回復した。そして1月30日には2830・5の終値で取引を終えた。

25日から29日までの5日間、習主席は中仏国交60周年祝賀会に向け、事前録画のテレビ演説を行った以外に、公の場に出ることは一切なかった。その代わりに、彼がすい臓がんに罹《かか》ったとの噂が国内外で広がった。

皮肉なことに習近平が表舞台に登場しなかったこの期間において、上海株は久しぶりの小康状態を保つことができた。要するに習主席が大人しくしていれば、上海株は至って安泰なのだった。

習主席が再び公に出たのは1月30日であった。その日、彼は軍関係の恒例行事に元気な姿を現した一方、42ヵ国の大使から国書を受け取った。「習近平すい臓がん」の噂はこれで見事に取り消された。

そしてそれは同日の夕方の中央テレビニュースで大きく報じられた。翌日の1月31日、上海株は取引開始から急落、再び2800ポイント台を割り、2788・5の終値となった。2月2日、上海株が2730・1にまで落ちていたことは冒頭に記したとおりである。習主席が動いたその翌日、上海株はやはり急落したのである。

活況を呈することはない中国の株式市場

このようにして昨年12月中旬から本年1月末まで、上海株は「12月13日急落」、「1月17日急落」、そして「1月31日急落」、という3度の急落を経験してきた。いずれも、その前日に習主席が大きな動きを見せたことが引き金となったわけだが、それはただの偶然だったのだろうか？

ひるがえって、習主席がじっとしていて姿を見せなかった1月25日から29日までの間、上海株が小康状態を保ったのは前述のとおりだが、それもまた、単なる偶然なのであろうか？

人間の世界では、一度だけの偶然は偶然なのかもしれないが、数回も繰り返された偶然はもはや偶然ではない。やはり習主席は上海株市場にとって疫病神《やくびょうがみ》であり、「習近平が動ければ上海株が落ちる」というジンクスは成り立つのであろう。

1月30日以降の習主席の動きを見ると、彼は31日と2月1日の2日間、北京にて中央政治局会議と政治局勉強会を主宰し恒例の「重要講話」を行った。そして2月2日には天津を視察した。「習近平が動けば上海株が下がる」というジンクスからすれば本来、2月3日からの上海株が落ちることになっているはず。だが幸か不幸か、3日と4日の両日は土日なので株市場はクローズしていた。

しかし週明けの2月5日、上海株はやはり1％以上も下落、終値は２７００ポイント台を割る直前の２７０２・１ポイントとなった。

そして翌日の2月6日、上海株は大幅に反発し上海総合指数が３・２％も上昇したことは世界の株式市場関係者のよく知るところである。上昇した理由について、日経新聞などは「相次ぐ相場支援策を市場が好感した」と解釈しているが、筆者自身の解釈からすれば、前日の2月5日、習主席が一切動かなかった、沈黙に徹したことが最大の原因ではなかったか。

以上、習主席の動きと上海株との関連性を解説してきたのだけれど、現実的にはやはり、習主席の金融市場に対する考え方と姿勢には大きな問題が横たわっていると言わざるを得ない。彼は以前、金融問題に関する講話で次のような発言を行った。「財産性収入の早すぎる増大は防止すべきである。とりわけ金融市場で投機的収入を取得することを制限すべきである」と。

このようなとんでもない発言からも分かるように、習主席は明らかに、株売買に対して一種の前近代的な〝偏見〟を持ち、それを敵視する態度を保持している。金融市場は制限しなければならない。これは彼がたくわえる残忍なテーゼに他ならない。このような考え方の持ち主の独裁的指導下では、中国の株式市場が活況を呈することは当然ないし、中国経済全体もますます衰退していくしかない。

言ってみれば、中国の株式市場と中国経済にとっての疫病神は、まさに習近平主席その人なのである。

中国と香港の政治利用に背を向けた神の子メッシ

中華圏で吹き荒れたメッシ非難

本年2月4日、米メジャーリーグサッカーのインテル・マイアミが香港で地元の選抜チームとの親善試合を行った。当日の最大の目玉は、世界一のサッカー選手に贈られるバロンドールを8回受賞したインテル・マイアミ所属リオネル・メッシ選手であった。

ところが、肝心のメッシ選手は足を痛めているとの理由から、ベンチに座ったままで欠場した。香港島ハッピーバレーの試合会場に集結した4万人の観衆の落胆は、ことのほか大きかった。

そこで香港の主催者側はメッシ欠場への代替案として、メッシ本人が会場の観客に対してあいさつを行うことなどを提案したが、メッシ側に拒否された。

試合終了後には、さらなるハプニングが起きた。観戦した香港側のホスト役を務めた李《り》家超《かちょう》行政長官はグラウンドに出て、一列に並ぶインテル・マイアミの選手たちと順番に握

メッシが出場せず怒りまくる中国人

手を交わした。ところが、その際にメッシ選手がこっそりと列から離れて長官との握手を意図的に〝回避〟した。この様子は当時の映像で残されている。そして李長官が入っての全員の集合写真を撮る際、メッシ選手は故意に最後列に並んで顔の半分しか映させなかった。

結局、神の子メッシは、チームの一員として香港にやってきたものの、まったく非協力の冷たい態度に徹し、事実上の香港ボイコットを行ったわけであった。

一方、2月6日にチームとともに来日したメッシの態度は一変した。彼が単独での記者会見に臨み、「日本に来ることができてうれしい。いつも温かく迎えてくれる」とリップサービスをした。そして翌7日に東京国立競技場で行われたヴィッセル神戸との対戦では途中出場し、華麗なプレーで会場を魅了した。日本でのメッシの振る舞いは、香港でのものと好対照となった。

これを受けて、香港と中国の双方から「足を痛めていたはずのメッシは、なぜ直後の東京での試合に出場できたのか?」との疑問が呈されたのだ。メッシはあからさまに「香港蔑視《べっし》」「中国蔑視」を行ったとの批判が、大仰に言えば中華圏全体に広がった。

当然ながら、騒ぎは収まらなかった。2月7日、香港特別区政府はインテル・マイアミに対して、公式の釈明を求めた。さらに李行政長官は定例の会見で不快感を露わにし、主催者側に非難の矛先《ほこさき》を向けた。香港立法会の何君堯《かくんぎょう》議員はSNSでメッシの欠場と李行政長官との握手回避を取り上げて、「これは香港への侮辱、ひいては中国への侮辱だ」と非難した。香港行政会議召集人の葉劉淑儀《ようりゅうしゅくぎ》氏はメッシのことを「イカサマ師だ」と批判の上、二度と香港に入れてはならないとまで言い放った。

中国本土においては、香港に冷たくて日本に温かいというメッシの姿勢を「中華に対する侮辱」の現れだと捉えたことから、メッシ批判の嵐が吹き荒れた。こうした中で人民日報系列の環球時報は2月8日、社説でメッシの行動を激しく批判する一方、その背後に「政治的動機があるのではないか?」とまで詮索した。

そして、3月に予定されていたアルゼンチン代表と中国国内チームとの2つの親善試合は、両方とも中国側によりキャンセルされた。

出足からつまずいた香港のイベント経済

このようにして、メッシというスポーツ選手がとった一連の行動は、香港と中国の双方で大きな反発を呼び、一大政治事件に発展する勢いとなった。筆者の考察によると、その背後に横たわるのは、傷つきやすさに定評のある現代中国人が有する過剰なナショナリズム。中国人が備えるそうした燃え上がる感情は、彼らのコンプレックスの裏返しに他ならないということだ。

そしてメッシが日本でとった友好的態度はまた、こうした過剰な感情に火に油を注ぐ効果を発揮したと思われる。その一方、香港政府がメッシの一件で過敏な反応をとったことの背後には、もう一つの要因が存在していた。

実は香港政府は外資および外国人の香港離れと香港経済の衰退を食い止めるために、「盛事経済＝盛大なるイベント経済」というキャッチフレーズの下、本年から国際的スポーツ試合や文化的イベントを盛んに開催するプランを立てている。今年上半期だけでも80

以上の「盛事」が開催される予定である。

実際、メッシが加入するインテル・マイアミを香港に招聘《しょうへい》したのは、まさにこの「盛事経済」計画の第一弾であった。要するに、香港政府による「メッシ利用」であった。

あにはからんや、結果的にはメッシが行った事実上のボイコットにより、香港政府はメンツ丸潰れとなったのみならず、香港政府が目指した「盛事経済」は出足から挫折《ざせつ》を味わった。

前出の環球時報の社説を見ると、メッシの行動を「外部勢力による盛事経済潰し」の一環ではないかと推測していた。

神の子メッシが一体どうして、香港に対してボイコット的な行動と態度をとったのかは依然として不明だ。ただし客観的には、彼は習近平独裁下の中国と香港の〝政治利用〟に背を向けた。われわれからすれば、それこそは大いに称賛すべき立派な行動ではないのか。

COLUMN

スペシャリストの半数が香港退出を選択

昨年12月4日、香港の著名民主活動家の周庭（アグネス・チョウ）さんが留学先のカナダで事実上の亡命宣言を行った。今後、彼女が自由の地カナダで新たな人生を歩みながら、香港における人権抑圧に対する世界中の関心を喚起するための発信をし続けることに期待したい。

ところで周庭さんが決別した香港経済は、いまどうなっているのか？　ちなみに香港株式市場の動向はどんな展開を見せているのか。その現状を見てみよう。

周さんがリーダー格を務めた民主化抗議運動以前、つまり2019年以前の香港は国際金融センターの地位を築いており、香港の株式市場はニューヨーク市場、ロンドン市場に次ぐ世界の3大市場に数えられていた。

しかし、民主化抗議運動が中国政府により鎮圧された後の香港株式市場は、大きく様変わりしてしまった。香港株式市場を代表するハンセン指数の経緯がそれを如実に物語っている。

香港の民主化抗議運動が起きた年の2019年、ハンセン指数の平均値は2万8189ポイント。香港株式市場の長い歴史においてもかなり高い数値であった。

しかしながら、抗議運動鎮圧の年の2020年年には2万7231ポイントに、2021年には2万3397ポイントに下落していった。2022年にはさらに大幅に下げ、1万9781ポイントまで落ちた。つまり、抗議運動鎮圧の2022年からの3年間で、ハンセン指数は29・8%、約3割も沈んだ。

そして2023年に入ってからもハンセン指数は沈み続けた。23年の12月7日の終値は1万6345ポイント。2019年の平均値である2万8189ポイントからは何と42%の下落となった。

ここ数年間におけるこのような香港株の劇的な〝転落〟を受け、中国国内ではかつての国際金融センターだった香港のことを「国際金融センター遺跡」だと揶揄《やゆ》する声が拡散した。

それに対し昨年12月1日、香港財経局の許正宇（クリストファー・ホイ）局長が新聞に寄稿、「香港が『国際金融センター遺跡』となった説は成り立たない」と大真面目に反論した。けれども、このような噴飯物《ふんぱんもの》の後生大事の反論は、むしろ香港政府の自信なさの裏返しであって、香港が国際金融センターとしての地位を失いつつあることを示している。

その一方、今後における香港のさらなる沈没を現す一つの仰天数字が、香港経済日報の調査により判明した。昨年11月末、香港経済日報は次のように報じた。

「香港では現在50%を超える「専門人士＝専門知識と技能を有する人々（スペシャリスト）」が香港から退出することを計画しており、約16%の「専門人士」は1日も早く香港から離れようと考えている」

土地が狭く資源をまったく持たない香港にとって、人材こそは最大の財産である。かつての国際金融センターの地位を支えた最大の強みは豊富な人材であった。専門人士の半分が香港から離脱するならば、香港は沈没からまぬがれる術《すべ》はない。

香港は終わろうとしているのである。

第4章

台湾併合戦争は遠のいたのか？

台湾総統選をめぐるゴタゴタ

支持率が伸び悩んだ国民党と民衆党

2023年11月24日、翌年1月に予定の台湾総統選挙に、政権党・民進党の頼清徳《らいせいとく》副総統、野党国民党の侯友宜《こうゆうぎ》新北市長、民衆党の柯文哲《かぶんてつ》前台北市長がそれぞれ立候補を届け出た。これで総統選における三つ巴の戦いの構図が最終決定となり、鳴り物入りの〝野党一本化工作〟が頓挫《とんざ》した格好となった。

それまでの総統選では、二大政党の国民党と民進党が争う構図であった。そこへ2019年に前台北市長の柯文哲氏が「台湾民衆党」を結成、民進党・国民党と異なった〝中間路線〟を標榜して若年層・中間層の間で支持を拡大、「第三政党」として躍進を遂げた。

そして2023年6月15日、台湾民間大手シンクタンクの台湾民意基金会が公表した世論調査の結果では、台湾民衆党が有権者からの支持率22・2%を獲得し、最大野党・国民党の20・4%を上回り、第二党に躍り出た。

この結果を得たときから民衆党党首の柯文哲氏は総統選への意欲を強く示し、不評の国民党候補の侯友宜氏を横目に、民進党の頼清徳氏と並んで最有力候補となった。

しかし9月の段階となると、民進党の頼清徳氏の支持率が伸び、他の野党二候補を大きくリードする状況となった。9月8日に発表された「美麗島電子報」の世論調査では、頼清徳氏の支持率が首位で38・8％、国民党の侯友宜氏（21・0％）、民衆党の柯文哲氏（18・4％）を圧倒した。結局、民衆党の柯氏の支持率も伸び悩んだ。

台湾メディアTVBSが9月下旬に公表した世論調査結果でも、支持率で頼氏が34％とトップ。柯氏が22％で続き、侯氏は21％で3位となった。

10月、11月に入ってからもこの状況が続き、このままでは総統選において国民党の侯氏と民衆党の柯氏が共倒れし、民進党の頼氏が一人勝ちの情勢が確実になってきた。この時点から野党の国民党と民衆党が候補を一本化して民進党と戦うべきとの声が「反民進党陣営」から上がり、両党がそれを模索する流れとなった。

中国側の指示で野党候補一本化に動いた前総統

問題は、どちらかを総統候補にして一本化すべきかだったが、両氏とも「われこそ総統候補なり」と主張して譲らなかったため、〝一本化〟が難航していた。

そこで11月10日、国民党出身の前総統である馬英九《ばえいきゅう》氏が動き出した。馬氏は全民調（台湾国内のすべての世論調査）に基づいて、「侯友宜総統候補・柯文哲副総統候補」、あるいは、「柯文哲総統候補・侯友宜副総統候補」のどちらかを決めて一本化すべきとの提案を持ち出し、両陣営に対し一本化を迫った。

11月15日、馬英九氏と国民党党首の朱立倫《しゅりつりん》氏、そして侯友宜、柯文哲両氏による四者会談が馬英九事務所で開かれた。記者、随行員をすべて追い出した〝密室会談〟が行われた結果、国民党・民衆党による総統選一本化の合意が達成された。

その内容は、11月7日から17日までの全民調の結果（18日発表）に基づき、前述した「侯友宜総統候補・柯文哲副総統候補」か、「柯文哲総統候補・侯友宜副総統候補」かのどちらかで一本化することであった。

ただしその場合、全民調における侯氏と柯氏のそれぞれの支持率を比べるのではなく、世論調査において、「侯総統候補・柯副総統候補」と、「柯総統候補・侯副総統候補」との二つの組み合わせのどちらかに支持率が高いかを見て判断することとした。合意事項にはさらに、二つの組み合わせに対する支持率が誤差範囲内の微差である場合は「侯友宜優位」として、「侯総統候補・柯副総統候補」にすべきとの合意項目があって、それは明らかに国民党の侯氏に〝有利〟な合意事項であった。

密室会談のなか、民衆党の柯氏がなぜ自分と自党にとって不利な合意事項に同意したのかがいまをもって謎である。この時点でこのような合意では、結局、国民党の侯氏が総統候補となって野党が一本化し、柯氏は事実上、総統の椅子への争いから敗退したと一般的に見られた。

しかし、馬英九氏が主導したこの野党合意は、中国共産党による裏工作の結果であるとの見方が濃厚で、その痕跡《こんせき》もあった。総統在任中に〝親中〟だった馬氏は2023年3月に、台湾の総統経験者として中国を訪問、中国政府から〝熱烈歓迎〟を受けた。

11月2日から5日にかけ、馬英九財団（基金会）の執行長を務める蕭旭岑《しょうきょくしん》氏が密かに北京を訪問したことは、台湾の鏡週刊などのメディアによって暴露された。馬英九財団側はこの報道を否定しなかったことから、事実だと思われる。

そして蕭氏が北京訪問から帰国後の5日後、馬氏は乾坤一擲《けんこんいってき》の「野党一本化提案」を突如発表し、電光石火の一本化合意を実現させた。だが、そこには明らかに中国共産党主導の裏工作の痕跡があった。

11月15日、前述の野党合意の当日、民進党頼氏の広報担当である張志豪《ちょうしごう》氏は、今回の件を天衣無縫《てんいむほう》の計画と揶揄して、こう続けた。

「中国から指令が届けば、馬氏の事務所はすぐに実行する」

張氏は、蕭氏が北京で中国側の命令を聞き、馬氏が命令を受け取ってから言いつけどおりに実行したとの見方を示した。

ところが、馬氏側は民進党張氏の明確な指摘に対し一切反論せず、名誉毀損《めいよきそん》で訴える気配もなかった。事実上の〝黙認〟と受け取られても致し方ない。

日本時間の昨年11月16日朝から行われた米中首脳会談後の記者会見で、バイデン大統領は習近平国家主席に対して、「来年1月の台湾総統選に介入しないよう警告した」ことを明らかにした。やはり米国政府も、その前日の台湾野党合意に中国の〝介入〟があったとの確証を得ていたと思われる。

どんでん返しのすえ再び三つ巴の選挙戦に

昨年9月に入ってから民進党の頼氏の支持率が大幅に上がり、総統選における勝利が濃厚となってきた。そこで中国共産党は何とかしてそれを阻止すべく、馬英九氏を操って野党一本化工作を進めたのではないかとの見方が成り立つ。

昨年11月15日の時点では、中共による裏工作が一見成功裡《り》に終わったと思われたが、その後数日間、柯氏率いる民衆党の党内と支持者層のなかで異変が生じた。

柯氏は党幹部・党員、そして支持者に一言の事前説明もなく、密室会談で民衆党にとって明らかに不利な合意事項を呑んだ。事実上、総統を目指す目標を放棄した柯氏が党幹部・党員・支持者層から猛反発を受けた。柯氏は涙ながらの釈明に追われる一方で、民衆党自体が崩壊の危機に瀕することになった。

柯氏は総統選と自ら創建した政党の両方を失う危機に立たされたが、結果的に自分自身の政治的立場を守るために、15日の野党合意を反故《ほご》にすることに決めた。世論調査に対する決定法は数字上のこじつけであるとの詭弁《きべん》を弄《ろう》して、野党合意を完全にひっくり返したのだ。

これで中国共産党主導により馬英九前総統が実行した一本化工作が思わぬところで頓挫、「野党一本化合意」はわずか数日間で破綻してしまった。民進党の頼氏に有利な状況のなかで三つ巴の選挙戦が展開されることが確実となった。

その一方、密室での合意から合意破りに転じた柯氏の言動は、政治家として信用を著しく損ない、多くの支持者層の柯氏離れが進んだ。こうした状況下において台湾総統選は事実上、民進党の頼氏と国民党の侯氏との一騎討ちとなることが予想された。

この構図において、副総統経験者で政治経験が豊富で清潔なイメージで人気の高い頼氏は、警察出身で新北市長に就任して長くない侯氏に対して優位であると一般的に思われた。

他方、11月16日に行われた米中首脳会談において、中国の習近平主席がバイデン大統領に対し、「2027年か35年に台湾を侵攻するような計画は中国にない」と語り、海外で報じられている中国の「台湾侵攻計画」を明確に否定した。

これは米国高官によるリークによるものだった。当然、台湾においても大きな話題となって、来るべき台湾総統選に一定の影響を与えるだろうと思われた。

これまでの選挙戦において国民党は、「独立派の民進党候補が次期総統となれば、中国は必ず戦争を仕掛けてくる」との言説を吹聴《ふいちょう》し、「戦争が欲しくなければ国民党に投票しよう」と選挙民に呼びかけてきた。

ところが、前述の「台湾侵攻計画はない」という習近平発言により、「独立派の民進党候補が次期総統となれば、中国は必ず戦争を仕掛けてくる」という国民党の言い分は直ちに説得力を失い、国民党の選挙戦のための切り札の一枚は無効化された。前回の台湾総統選と同様、台湾独立派の民進党に〝助太刀〟したのは習近平共産党であった。

本年1月13日に投票が行われた台湾総統選挙において、与党・民進党の頼清徳氏が558万票を超える票を獲得、当選を果たした。国民党の侯友宜氏は467万票、民衆党の柯文哲氏は369万票を獲得した。この投票結果は、中国共産党と馬英九氏の裏工作が水面下で進み奏功したならば、国民党の侯友宜氏が総統の座に就いたことを示している。

同時に行われた議会・立法院選挙では民進党は過半数を保持できず、今後の政権運営は波乱含みといえよう。

台湾を助けた中国軍内の汚職

大粛清人事が行われたロケット軍と装備発展部

昨年12月29日、中国第14期全人代常務委員会は「第2号公告」を公布した。その中で9名の高級軍人の全人代代表職を解任し、全人代におけるそれぞれの職務を免じたと発表した。

中国の政治体制下では、全人代代表の資格を解かれることは事実上の失脚を意味することから、9人全員はおそらくすでに拘束・軟禁の上で取り調べを受けたと思われる。しかしながら、習近平政権の下にあっても、高級軍人がこれほどの大人数で一斉に粛清《しゅくせい》されたのは初めてのことであった。

粛清された9名の高級軍人のうち、5名はロケット軍関係者、3名は中央軍事委員会装備発展部の幹部。ロケット軍関係者で粛清されたのは次の面々だ。李玉超《りぎょくちょう》前司令官、李伝広《りでんこう》前副司令官、呂宏《りょこう》前装備部長。そして周亜寧《しゅうあねい》元司令官、張振中《ちょうしんちゅう》元副司令官。

装備発展部関係者で粛清されたのは、張育林《ちょういくりん》前副部長、饒文敏《じょうぶんびん》副部長、鞠新春《きくしんしゅん》元副部長であった。そして、昨年10月に失脚した前国防相の李尚福《りしょうふく》氏が同じ昨年2月までに装備発展部部長を務めていたことを合わせてみると、装備発展部関係者が失脚したのは実際には4名となる。

こうしてみると、昨年における習近平の軍に対する大粛清はロケット軍と解放軍の装備発展部に集中したことがよく分かる。なぜ粛清はこの両組織に集中しているのか。そしてロケット軍粛清と装備発展部粛清の間にどのような関連性があるのか。

これは興味深い問題である。

本項後半ではその謎解きを試みるつもりだが、そもそも事の始まりは2022年8月、ペロシ米国下院議長（当時）の台湾訪問に対抗して、中国軍が台湾周辺で実行した大規模な軍事演習の一件にあった。

覚えておられる方もいるだろうが、一昨年8月4日から7日までに実行されたこの軍事演習中、世界の注目を集めた最重要項目は中国ロケット軍によるミサイルの実弾射撃であった。

事の発端となったロケット軍がやらかした大失態

8月4日正午に演習開始後、中国軍は北京時間の13時56分より福建省の基地から台湾周辺の海域に向け、計11発（日本防衛省発表では9発）を発射した。しかし、当日午後北京時間の15時19分、つまり発射開始からわずか1時間23分後、解放軍はミサイル発射を発表すると同時に、あろうことか「訓練任務は円満に完遂できた」と発射演習の終了を宣言した。同演習のための立ち入り禁止措置も解かれた。

本来、演習全体の〝目玉商品〟であり、そのクライマックスを飾るべきミサイル発射をどうして演習の嚆矢《こうし》に持っていき、さらにわずかな時間で終了宣言が出されたのか？　それこそは当該軍事演習にまつわる最大の〝謎〟であった。

それに対して海外の中国語SNSで当初から流された有力説の一つは、発射されたミサイルが所定の軌道から大きく外れて日本のEEZ内に着弾した。しかも1発、2発ではなかったため、中国軍はあわてて演習を中断した、というものであった。対台湾軍事演習なのに、発射された11発のミサイルのうち約半分の5発が日本のEEZ内に着弾したとすれば、尋常ではない。ミサイルの精度があまりにもお粗末《そまつ》であったため、所定の軌道から大きく外れて日本のEEZ内に着弾した蓋然性《がいぜんせい》は高い。
要は中国ロケット軍は当該軍事演習において、ミサイルの深刻な〝品質問題〟により大失態を演じてしまった。それはロケット軍の責任問題であると同時に、中国軍全体の装備調達を担当する中央軍事委員会装備発展部の責任問題に発展していった。

おそらくこの一件が原因で、昨年7月下旬に前出の李玉超前司令官を含めたロケット軍トップが突如更迭《こうてつ》され、そして昨年10月には装備発展部長を長年務めた李尚福国防相が解任された。そして前述のように昨年末になると、李前司令官のみならず、ロケット軍の前司令官、元司令官、副司令官と肝心の前装備部長が一斉に粛清された。同時に、軍事委員会装備発展部の前副部長と現副部長も粛清された。

こうしてみると、ロケット軍と装備発展部の大粛清をつなげるキーワードはやはり〝装備腐敗〟にあるといえる。2022年8月の軍事演習で大変な品質問題を〝露呈〟したミサイル調達に関わった人物が、根こそぎで摘発されたと考えるのが自然であろう。

このたびの軍に対する大粛清がどこまで発展するのかは未知数だ。しかも軍事委員会装備発展部が手を染めた腐敗は当然ながらミサイルに限られた問題ではなく、陸海空を含めた全軍に行き渡る大問題となっている可能性が十分にある。

その一方、昨年12月27日、全国政治協商会議は、中国兵器工業集団公司の劉石泉《りゅうせきせん》会長、中国航天科学技術集団公司の呉燕生《ごえんせい》会長の委員資格を剝奪《はくだつ》した。これらの摘発が軍事産業のトップらにも及んでいることは確実視してよいだろう。

トーンダウンした習主席の台湾統一に対する新年演説の中身

このように軍上層部と軍事産業が結託して行う腐敗は蔓延しており、解放軍全軍の装備品質問題を生み出しているのではないか。

だが、装備品質の問題となると、それは短期間で解消できないのは一般的常識である。単なる人の問題ならば、更迭の一つで解決できるかもしれぬが、装備全体が問題であれば、おそらく数年をかけてもクリアするのは難しい。

しかしそれでは、習主席自身が最重要命題として熱望している「台湾併合戦争」の発動は当分の間できないのは自明であろう。

米ブルームバーグ通信は1月6日、米情報機関の分析として、中国軍で核ミサイル部隊を管轄するロケット軍の戦力に疑義が生じていると報じた。広がる汚職を背景に、ミサイルに燃料ではなく水を注入するなどの問題が生じたことで、習近平国家主席が数年内に台湾に対して大規模な軍事行動を検討する可能性は以前よりも格段に低くなったとしている。それは本稿の見立てと、まさに大同小異なのである。

習主席が新年演説で「祖国統一は歴史の必然だ」と述べたことは日本でも報じられた。一部メディアでは「台湾統一への強い意志表明」「台湾併合へ意欲」と解釈されたけれど、実はそれに対する〝正反対〟の解釈もできるわけである。

ここで注目すべきなのは習主席がここで、「祖国統一はわれわれの使命」「われわれは必ず統一する」と主体的に意思や意欲を表明したのではないことである。

彼はむしろ「歴史の必然」という漠然とした言葉を持ち出して、「われわれはやる」のではなく、「いずれかそうなる」と言って「歴史の必然性」に任せているような言い方をした。

このトーンダウンはどう考えても「決意表明」とはほど遠い〝逃げ〟の姿勢であろう。それもまた、習主席が台湾侵攻を躊躇《ためら》っていることの証拠の一つであろう。

もちろんそうは言っても、機会と可能性さえあれば自らの手で台湾併合を実現するのは、依然として独裁者習近平の最大の悲願である。習政権が国内危機打開のために一か八かの賭けに打って出る危険性はいつでもある。台湾と国際社会が油断することは許されない。

台湾有事の縮小版としての金門島有事

転覆した中国船舶は漁船ではなかった

本年2月14日、中国福建省厦門（アモイ）に近接する台湾領有の金門島付近の海域で、中国の漁船が転覆、2人が死亡する事件が起きた。

台湾当局によると、14日午後、台湾海巡署の巡視船が、台湾が実効支配する金門島の東方沖約1海里の海域で不法操業中の中国船籍とおぼしき漁船を発見した。巡視船に追跡された当該船舶は蛇行を重ねた末に転覆し、乗務員4人が海に投げ出され、2人が死亡した。

その後の台湾当局の調べによれば、転覆した船舶は船番号、船籍登録書、所属港のすべてが確認できない、いわゆる「三無船」であることが判明した。

中国の法律において、このような三無船は漁船として操業できないことから、当該船舶は漁船ではなく、中国当局の「対台湾工作船」ではないかとの疑惑が浮上した。

その後、同船が漁具を積んでいなかったことや、救助された2人は中国内陸部の四川省なまりの中国語を話していたことなどが判明した。仮に本物の漁船であれば近場の福建省の人間が乗り組んでいるはずだ。けれども、後に2人が中央電視台に登場して話していた言葉は四川省なまりが強かったことを筆者は確認している。筆者自身、四川省出身なので、そこは間違いない。

さらに言えば、2月14日は中国では2月10日から始まる春節の連休中、福建省の漁民はその時期において出漁しないのが通例である。したがって、件《くだん》の船舶は漁船ではなく工作船の可能性が極めて高いと見られた。

金門島とその周辺の海域は台湾が領有し、台湾が実効支配している区域。ということは、本来、台湾の海巡署が同海域への違法船の侵入を取り締まるのは至極当然の法の執行行為であり、非は明らかに中国側にあると思われた。

ただし台湾側にとっての誤算は、中国側に2人の死者が出たことであった。後に、台湾の海巡署が「当該船舶」を追跡中に船体同士の「接触があった」ことを認めたことから、

「接触が漁船転覆の原因」という見方が台湾の中でも浮上してきて、事態がやや複雑化してきた。この件に関する「法律戦」と「世論戦」においては、やや「中国有利」の状況が生まれつつある。

台湾の実効支配海域で警察権を行使した中国海警局

一方、中国側は事件発生当初から苛烈《かれつ》な反応を示してきた。事件当日の14日、中国政府で台湾政策を担当する国務院台湾事務弁公室の報道官は早速、台湾側を非難する談話を発表した。「両岸の同胞の感情を著しく傷つける悪質な事件だ」と強調した上で「民進党当局は、これまでもさまざまな口実を用いて、大陸の漁民を乱暴かつ危険に扱ってきた」と主張した。

そして17日、同じ国務院台湾事務弁公室報道官は記者会見で、「事件が大陸（すなわち中国）各界の強い憤慨を呼び起こした」と語る一方、「（金門島）付近の制限線・禁止線はいっさい存在しない」と、台湾側が設定している制限線・禁止線をハナから認めないとの立場を明確に示した。

これは中台関係史において初めての事態といえた。つまり中国側は今回の事件を口実に、金門島付近海域に対する台湾側の主権と実効支配権を完全に否定した上で、それを侵害する行動の正当性を示唆したのだ。

それに呼応した形で、中国海警局は18日、金門島海域周辺で「パトロール体制を強化する」と発表した。そして19日午後、中国海警局は、とうとう周辺海域で台湾籍の遊覧船に対する強制臨検を実行した。台湾の主権が及ぼす海域で、中国の〝警察権〟を行使する暴挙に出たのである。20日、中国海警局の船舶1隻が金門島付近の台湾が管轄する海域に侵入、台湾側の船と約1時間にらみ合った。

21日、転覆事件で生き残った2人の中国人乗組員が本国に送還されると、国営中央テレビ局は彼らのインタビューを伝えた。

彼らに「台湾の船がぶつけてきて、われわれの船を転覆させた」と証言させ、中国国内の〝反台感情〟を極力あおった。

当日、国務院台湾事務弁公室は、「台湾当局は事実をごまかそうとしている。事故の真相を明らかにし、責任者を処罰するよう強く求める」旨の談話を発表。台湾に対してより一層の圧力をかけた。

2月20日、すなわち中国海警局による前述の警察権行使の翌日、米国のジェイク・サリバン国家安全保障担当大統領補佐官は、「この件に関して米国の立場は明確である。台湾海峡の平和と安定を維持し、一方的に平和や安定を破壊するいかなる行動にも反対する」と述べ、中国側の動きを強く牽制《けんせい》した。

金門島有事の可能性

2月24日現在、中国側は新たな動きを見せていないが、おそらく中国政府はボールは台湾側にあるとして、自分たちが出した「責任者処罰」などの要求に対する台湾側の返答を待っているところであろう。そして台湾側の反応次第では、彼らがさらなる行動に出る可能性は十分にある。

台湾側としては今後、2人の死者の遺族に対して慰問・賠償などの人道的配慮を行うことはありうるが、責任者の処罰に応じる可能性は低い。なぜなら、それに応じるならば、台湾は自らの支配権を否定してしまい、現場の士気を失くして逆に中国側のさらなる侵入行動を招く恐れがあるからだ。

しかしながら、仮に台湾側が責任者の処罰に一切応じないこととなれば、中国側はそれを口実にして金門島周辺での警察権行使をより一層頻繁に行う。台湾側の主権と管轄権への侵害を常態化していく公算が高まる。

その際、もし台湾側が弱腰になって中国側の警察権行使を事実上許してしまうこととなれば、中国側は増長して金門島周辺海域を実効支配下におき、金門島そのものに対する支配権を台湾側から徐々に奪っていくことになろう。

しかし逆に、台湾側が中国による警察権行使に反抗して実力でそれを阻止・排除することになれば、それは直ちに台湾と中国の海上保安同士のぶつかり合い、要は同じ警察権同士の衝突になりかねない。

そしてその延長線においては、中国側は海軍・海兵隊などの軍事力を動員し、金門島を封鎖・侵攻することもありうる。

つまり、今回の事態が発展していく到着点には、習近平政権による限定的な「金門島侵攻」が現実に起きてしまう可能性がある。そしてそれはすなわち、「台湾有事」の縮小版の「金門島有事」の発生なのである。

その際、金門島への軍事侵攻において、中国軍は断然優位に立つのであろう。金門島は基本的に孤島である。中国大陸との最短距離は2・1キロしかないから、中国軍にとっては極めて攻めやすい。
一方の台湾にとっては、金門島を守るために本島から台湾海峡を超えて部隊を派遣しなければならないので、極めて不利な状況である。

習近平政権にとり最高の浮揚策となる金門島奪取

1949年10月、中国大陸を制圧し建国したばかりの毛沢東政権は、まさに台湾侵攻の前哨戦《ぜんしょうせん》として金門島に軍事侵攻（古寧頭戦役）を行った。そのときは上陸用舟艇の不足などで失敗に終わった。しかし70数年後のいま、中国軍の上陸能力は飛躍的に向上しているはずである。

本書において、中国軍の腐敗問題の深刻化とそれを起因にした習近平政権の軍粛清の拡大により、筆者は中国軍の台湾に対する軍事侵攻はしばらく不可能だと分析した。

しかしながら、それはあくまでも「台湾本島侵攻」についてであり、「金門島侵攻」ではない。金門島侵攻となった場合、ミサイルを使う必要性はまずないことから、いまは機能不全のロケット軍を使用せずに済む可能性が高い。

逆に言えば、現在の中国軍では台湾本島に対する侵攻作戦の遂行は無理である。だからこそ国内危機打開のために、どうしても対外的侵略行動に打って出たい習政権は、よりやりやすい限定的な軍事行動の対象として金門島に目をつけたのかもしれない。

台湾本島に対する全面侵攻ではなく、金門島に対する限定的な軍事行動の場合、台湾は本島死守のために離島を〝放棄〟する可能性もあれば、日米同盟を中心とした西側の反応も経済制裁に限定される可能性がある。

習政権にすれば成功する勝算がある一方、リスクはそれほど大きくはない。逆に金門島の強奪が成功すれば、習近平にとっては、それこそ毛沢東と鄧小平も達成できなかった〝偉業〟であって、内憂外患《ないゆうがいかん》で没落著しい習近平政権にとって最高の浮揚策となろう。

さらに中国側には、金門島奪取の成功は当然、将来における台湾本島侵攻のための下準備にもなる。それをテコにして次段階へ行動を移していくのは、むしろ自然の流れとなろう。また、金門島で行動をとることによって、台湾自身の抵抗意志と日米同盟の出方を確かめておくことができる。それはまた、将来における台湾本島侵攻への戦略立案に資することになる。

こうしてみると、いきなり台湾本島侵攻というよりも、金門島限定の軍事侵攻のほうが習政権にとって魅力的な選択肢となりうる。

そういう意味では、中国側の三無船の不法侵入により引き起こされた今回の事件は、習政権にとってはむしろ好機であるかもしれない。台湾と国際社会は、今後は最大の警戒心を持って、中国側の動きを克明に監視しそれに備えておかねばならない。

金門島事件で中台緊張が高まる可能性

公式見解を初めて示した国務院台湾事務弁公室報道官

先に2月14日、台湾が実効支配している中国福建省厦門（アモイ）に隣接する金門島付近の立ち入り禁止海域で、台湾の海巡署（海上保安庁）が不法操業中の中国船を発見。逃亡の末に中国船は転覆し、乗組員2名が死亡する事件へと発展した一件について記述した。台湾側によると、当該中国船はいわゆる三無船（船番・船籍登録・所属港を持たない）で、中国の法律でも漁船として操業できないものであった。したがって、これは中国当局が差し向けた「対台湾工作船」ではないかと見られた。

本来ならば、台湾海巡署はこのような違法な船の侵入を取り締まるのは至極妥当な執行行為であり、非は中国側にあるとする認識に落着する。

ただ、台湾側に誤算だったのは、中国側に2名の死者が出たことであった。そして後になって、台湾の海巡署が中国船を追跡中に船体同士の接触があったことを認めたことから、それが中国船転覆の原因となったという見方が台湾の中でも浮上、事態が複雑化の様相を帯びてきた。

17日、中国の国務院台湾事務弁公室報道官は記者会見でこう述べた。

「事件が大陸各界の強い憤慨を呼び起こしている」

続けて、「金門島付近の制限線・禁止線は一切存在しない」と中国側の公式見解を示した。

こうして中国側は台湾側が設定している制限線・禁止線については一切〝存在〟しないとの立場を明確に示したのであった。これは中台関係上初めての事態と言っていい。

つまり、中国側は今回の事件を口実に、金門島近海域に対する台湾側の主権と実行支配権を完全に否定した上で、それを侵害する行動の正当性を示唆した。

それに呼応した形で、中国海警局は翌18日、金門島海域周辺の「パトロール体制を強化する」と発表した。

18日午後、中国海警局は周辺海域で台湾籍の遊覧船に対して、ついに〝強制的臨検〟を実行するに至った。台湾の主権が及ぶ海域で「警察権を実行する」という暴挙に出た。

さらに20日には、中国海警局の艦船1隻が金門島付近の台湾が管轄する海域に侵入してきた。台湾側の艦船と約1時間睨み合った。

当日の晩、国務院台湾事務弁公室は、「台湾当局は事実をごまかそうとしている。事故の真相を明らかにし、責任者を処罰するよう強く求める」とする談話を発表、台湾により一層の圧力をかけた。

一気に高まってきた中台武力衝突の可能性

こうしたなか、2月下旬から中国側の交渉チームが亡くなった2人の遺族を連れて金門島に乗り込んできた。3月3日までに台湾海巡署の責任者をトップとする台湾側チームと15回にわたって交渉を重ねた。

そのなかで中国側は台湾側に対して①明確な謝罪、②責任者の処罰、③賠償金の支払いを求めた。台湾側としては③に関しては、慰問金の名目でかなり高額なお金を支払う意向を示したものの、①②に関しては完全に拒否した。当然であろう。台湾海巡署の責任者が事故の責任を認めるならば、中国側の不法侵入を認めることになり、今後の取り締まりができなくなってしまう。

結果的に3月3日、中国北京で全人代が始まった日に交渉は決裂し、台湾側チームは本島へと戻った。そして3月5日、中国側チームと遺族は、遺体の引き取りを拒否したまま、本国に引き揚げてしまった。

当事者の一人である中国福建省泉州市の蔡戦勝《さいせんしょう》市長は全人代で記者に「いまの気持ち」を問われてこう答えた。

「(台湾に対し)極度に憤慨している」

全人代開催中ということで、国務院台湾事務弁公室を含めた中国の中央政府は交渉決裂に関して反応を示していないが、全人代終了後を待って、台湾側にさらなる圧力をかけるための挑発行為に出る可能性は高い。

3月5日、李強首相が全人代で行った「政府工作報告」では、台湾問題についてこれまで建前として使ってきた「平和統一」という言葉の「平和」という2文字を〝消した〟ことは日本でも大きく報じられた。

その一方、李強首相は、同じ政府報告のなかで、「実戦的な軍事訓練を全面的に強化し、軍事闘争（戦争）の準備をきちんと行う」と表明した。首相としては極めて異例な「戦争準備」の呼びかけを行った。こうした軍事関係の呼びかけは、共産党中央軍事委員会主席を務める習近平が行うのが慣例であるからだ。中国のネットメディアも大きな反応を見せた。

3月7日、今度は習近平国家主席が全人代の軍代表団会議に出席、「海上軍事闘争の準備」を支持したと、国営テレビが報じた。

3月11日に閉幕した全人代は、行き詰まりに苦悩する中国経済を救済するための有効政策を何一つ打ち出せていない。全人代終了後のさらなる経済減速と国内の不平不満の高まりがより進むと予測される。

こうした国内危機対処のためにも、やがて習近平政権は交渉決裂の「金門島事件」を口実に金門島周辺や台湾海峡で挑発的行為に出て、緊張状態をつくり出していくかもしれない。

台湾。日本、米国は全人代後の中国側の動きを見張りながら、あらゆる事態に対処する準備を進めていくべきであろう。

本書で筆者は台湾を狙う時期は汚職で遠ざかったと記してきたが、ここに来て俄然《がぜん》風向きが変わってきたのである。

COLUMN

志願軍ネタ映画の興行が大惨敗

中国では、毎年10月1日の国慶節にあたって長い連休がある。期間中、大勢の中国人は旅行に出かけたり、娯楽施設へ殺到したりして休暇を楽しむ。

そのなかで、多くの人々にとって手頃な娯楽の一つは映画鑑賞だ。毎年の国慶節となると、著名監督・人気俳優による力作の新作映画が何本も同時に投入され、全国津々浦々の映画館は満員御礼の大盛況を迎える。

昨年の国慶節でも案の定、4本ほどのいわゆる国慶節映画が上映された。そのなかで大きな話題となったのは、『志願軍』という戦争映画の興行成績が極端に悪かったことであった。

1950年6月に勃発した朝鮮戦争において、中国共産党政権は志願軍と称する正規軍部隊を派遣して参戦、米軍を中心とする国連軍と数年間熾烈な戦いを展開した。戦争終了後、世界最強の米軍を相手に戦った志願軍の奮戦ぶりは、中共政権のプロパガンダにより愛国主義的革命精神の〝権化〟として奉られた。以降、政権が行う革命教育、愛国主義教育の恰好な材料となって現在に至っている。

特にいまの習近平政権の下では、反米的色彩の愛国主義教育がより一層盛んになっていることから、志願軍を題材にした映画や文学作品は多大な人気を博してきた。

2021年の国慶節において、著名映画監督陳凱歌《チェンカイコー》氏の手による『長津湖（邦題：1950 鋼の第7中隊）』という映画は、まさに〝志願軍ネタ映画〟の最たるものとして上映された。全国で熱狂な話題を呼び、わずか7日間の上映で興行収入が32億元余（約652億円）と、中国映画史上最高の興行成績を記録した。そしてそれはまた、習政権が展開する愛国主義教育の大成功のあらわれであり、中国国民の多くが〝洗脳教育〟の虜《とりこ》となっていることの証左でもあった。

この陳監督は2023年の国慶節でも、同じ志願軍ネタの映画をつくり、上映の運びとなった。冒頭の『志願軍』がそれである。

しかし今回、彼の志願軍映画は興行面では大惨敗を喫した。9月29日からの7日間の上映で、『志願軍』が得た興行収入は4億5849万元。それは21年国慶節の『長津湖』上映の7日間収入の7分の1程度、同時上映された張芸謀《チャンイーモウ》監督映画の興行収入の半分程度でしかなかった。

21年の国慶節から2年が経ったが、同じ映画監督による同じ志願軍映画はくっきりと明暗を分けた。そしてその背後にはあるのはやはり、多くの中国国民の〝意識変化〟だったのではないか。要するに、国民の多くは徐々に、習政権のしつこい思想教育に嫌気がさして、そのためのプロパガンダを敬遠し始めているのである。

昨年の国慶節にはもう一つ、政権にとっては不本意な現象が起きた。昨年8月に始まった福島第一原発の処理水海洋放出に対し、中国政府は汚染水だと一方的に決めつけて、国内の宣伝機関を総動員して「汚染水放出は危ない」とのウソの宣伝キャンペーンを展開した。しかし、いまになってみると、政権が期待するほどの宣伝効果は上がっていないようであった。

実際、汚染水宣伝を受けて中国国内で以前のような大規模な反日デモが起きたわけではないし、宣伝キャンペーン自体も長く続かず、中途半端なものとなった。

そして9月29日からの国慶節連休中、多くの中国観光客は満杯の旅客機に乗り、日本にやってきて休暇を楽しんだ。そのなかには平気な顔で日本の水産物で舌鼓を打つ〝大胆者〟も多くいた。どうやら中国国民の一部は、政府が行う汚染水宣伝を鼻で笑っているようである。

そしてこの一連の出来事の意味するところはすなわち、習政権が思想統制のために行っているプロパガンダはすでに綻《ほころ》び始めているということだ。もちろんそれは独裁体制の維持にとっては由々しき問題である。

習近平政権はこれから一体どうやって国民をダマしていくのだろうか？

第5章

李克強急死がもたらす動乱の時代の幕開け

歴代指導者のなかで異様な若さで亡くなった李克強

多くの中国国民が感じた疑問

２０２３年10月27日午前、中国の中央テレビ局・新華社通信が速報を伝えた。「李克強前首相が本日未明０時10分、上海にて死去しました」

当日の19時、中央テレビ局のニュース番組において、共産党中央委員会・国務院連名の正式訃告が発表された。

中国の場合、退任した元指導者の死去を伝えるのには、上述のような「中央テレビ局19時ニュースの訃告発表」をもって第一報とするのが常である。ところが李前首相の死去に関しては、当日の午前中にまず速報の形で伝えられた。これは異例ともいえる迅速な対応であった。

そして中央テレビ局と新華社通信がその速報において、李前首相の死因が心臓発作であることを伝えた一方、「全力をあげての救急が行われた」とも強調した。

しかし、李氏の死が伝わったその直後から、中央テレビらが発表した李氏の死因に対しては、国内外で多くの人々がさまざまな疑問点をあげて、その信憑性《しんぴょうせい》に疑念を呈し始めた。筆者自身もやはり、心臓発作死に疑問を感じた一人であった。

これまで退任した中国共産党の指導者たちは最高レベルの医療を施されてきた。このことからほぼ例外なく80歳以上、あるいは90歳以上の超長寿と相場が決まっていた。

最近の例をあげると、江沢民氏が死去したのは96歳、元首相の李鵬氏が死去したのは90歳。そして健在の元指導者たちのうち、元首相の朱鎔基氏は95歳、元首相の温家宝氏は81歳、前国家主席の胡錦濤氏も81歳である。

中共政権の歴代首相のなかでは周恩来氏が77歳でがんで亡くなったのが一番の〝早死〟であった。したがって李克強氏が68歳の若さで死去したのは、いかにも異例なことであり、一種の異様さを感じさせる。

元共産党中央党校教授で現在は海外亡命中の蔡霞《さいか》氏が同日の連続ツイートで疑問を呈していた。

「自分の知り得た共産党政権の内部事情からすれば、李克強レベルの元指導者たちは全員、医療チームにより健康状態を随時チェックされているから、何の兆候もない突然の心臓発作の可能性は非常に低いのではないか」

中国国内でも、李氏が首相という激務を務めた10年間に心臓発作を起こさず、退任してから悠々自適の生活を送っているなか心臓発作で急死とは何事か。不信感を表するネット上の声が多く見られた。

運び込まれたのは漢方医治療を売り物にしている病院

当局の公式発表では、昨年10月26日に心臓発作を起こした李氏は「全力で救急治療を受けたが、その甲斐なく死亡した」とされていた。その後中国国内から得た情報では、李氏が運び込まれたのは上海市内の曙光病院であったという。ところが、曙光病院は上海中医(漢方医)大学の附属病院。慢性病の治療に強い漢方医治療を売り物にしているが、心臓発作などの外科的な救急が得意な病院では決してない。

上海では、心臓病治療あるいは心臓発作救急に関しては、復旦《ふくたん》大学附属病院の中山病院がもっともレベルが高くて有名である。けれども心臓発作の李氏は最初から、この中山病院へ運ばれず、漢方医専門の曙光病院へ運ばれて救急を受けたのはなぜなのか?

これもまた、多くの人々が感じた疑問の一つである。そういう意味では、前述の中央テレビ、新華社通信速報が「全力を挙げての救急が行われた」と強調する、このわざとらしさは、逆に人々の疑念を強める効果となっている。

もう一つ、当局の発表では、李克強氏は上海滞在、休息中に心臓発作を起こして亡くなったとされているが、それもまた疑問を感じさせる点である。

上海は習近平主席自身がトップを務めた都市であり、習近平側近の李強首相が前市長を務めた。そしてもう一人の側近である丁薛祥《ていせつしょう》副首相も上海が古巣の幹部である。

つまり上海こそは習近平派の〝牙城〟ともいうべき場所なのだ。長年、習主席のライバルだった李前首相が上海を休息の滞在地に選んだのも不自然なことであろう。そして上海で急死したことは、やはり尋常ではない。

以上は、「李克強急死」に関するいくつかの疑問点であるが、もちろん彼の死が病死ではない〝非業〟の死であることを示す証拠は何一つもない。

しかしもし李氏の急死に何かの政治的作為があったとすれば、習近平政権の悪政・暴政に対する国民の反発が高まるなか、国民の間で人気の高い李氏がいずれ打倒習近平運動の〝中核〟として担ぎ出されかねない。それを危惧《きぐ》した習近平たちが、禍根《かこん》を残さないために先手を打った可能性も考えられよう。ただし、それはあくまでも推測上の話に過ぎない。

習近平独裁体制の産みの親となった江沢民一派

急死した李克強氏はどういう人物だったのか。改めて振り返ってみたい。

1955年に安徽省合肥市に生まれた彼は1978年に北京大学に進学し、法学部で学んだ。卒業後、共産党外郭団体の共産主義青年団に勤めて頭角を現わし、共青団組織のトップだった胡錦濤氏の知遇を得て出世街道を歩み始めた。河北省と遼寧省でトップを務めて政治経験を積み、2007年の党大会で政治局常務委員に昇進、翌年3月の全人代で副首相に昇進し、次期首相候補となった。

当時、共産党総書記・国家主席であった胡錦濤氏は、自ら率いる共青団派の次世代指導者として李克強氏を後継者に据えたかった。だが、党内で隠然たる勢力を持つ江沢民一派がそうはさせなかった。〝李克強後継人事〟を潰すために、李氏の対抗馬として江沢民派の息がかかっている習近平氏を後継者として胡錦濤に押しつけたのである。

その結果、2012年秋の党大会で習近平は党総書記に就任、李氏が政治局常務委員のままで党内序列NO2に。そして2013年3月の全人代では、習氏と李氏がそれぞれ、国家主席と首相（国務院総理）に就任した。

そこから始まったのが10年間にわたる習近平主席・李克強首相体制であったが、独裁志向の強い習主席は意思決定権を露骨な形で自分に集中させていった。

それまでの慣例であった首相が兼任する中央財経委員会主任を習主席自らが兼任し、経済運営の主導権を李首相から奪い取った。そして李氏を含めた共青団派の最高幹部たちを徐々に意思決定の中枢から〝排除〟していった。

その一方、イデオロギー優先・毛沢東回帰の習近平路線に対抗して、李首相ら共青団派は経済優先・鄧小平改革・改革開放路線の継承を掲げて独自路線を推し進めた。このことが習近平の暴走に対するブレーキ役を果たしてきた。

しかしながら昨年10月の党大会において、李氏を含めた共青団派幹部が最高指導部から一掃され、李氏自身も2023年3月の全人代で首相退任を余儀なくされた。政権の中枢から共青団派が〝集団退場〟したのと同時に、習近平独裁体制が完全に確立されたのであった。

そして首相退任からわずか半年、李氏は疑問点の多い突然死を遂げた。それは今後の中国政治にどのような影響を与えていくのだろうか。

２度の天安門事件の契機となった人気指導者の死

李氏の急死が発表された直後のネット上の反応を見ると、彼の死を惜しむ声や、考え方や政治スタイルを高く評価する声が圧倒的に多かったことが分かった。李氏の故郷である安徽省合肥市にある彼が育った旧居に、１万人以上の民衆が自発的に集まり献花したことは日本のメディアにも報じられた。

多くの国民は、習近平政治に対する反発と反感の裏返しとして、習主席と対立関係にあった李前首相を意図的に持ち上げて賛美した。このような風潮と動きはいずれ、死去した李克強氏を反習近平の〝シンボル〟に祭り上げていく可能性も十分にあろう。

中国共産党政権の歴史上、人気のある指導者（あるいは元指導者）の死去が国民的政治運動のきっかけとなった前例はいくつかある。

例えば１９７６年4月、国民に人気の高かった周恩来首相が死去したことが、第一次天安門事件の発生の引き金となったことは周知の史実である。あるいは１９８９年4月、民主化に理解を示して失脚した胡耀邦《こようほう》前総書記の死が、天安門民主化運動勃発のきっかけとなった。両方とも、指導者の死を弔う群衆の集まりが大規模な群衆的抗議運動へと発展したケースであった。

国内の経済状況が悪化し、若者たちの失業率が空前のレベルに達している状況下、李克強氏急死が一昨年11月の〝白紙革命〟に続く、新たな全国規模の抗議運動勃発の導火線となる可能性がある。

李克強氏の突然死あるいは不審死は結局、改革開放という時代の〝終焉〟を告げた。それと同時に、天下大乱という動乱の時代の〝幕開け〟になるかもしれない。いずれにしても、昨年10月27日という日は、中国史に残る重要な意味を持つ「歴史の日」となろう。

強まる太子党集団の習近平に対する造反気運

●毛沢東批判を借りて習近平批判を行った劉少奇の遺子

2023年11月1日、中国四川省社会科学院刊行雑誌の『毛沢東思想研究』公式サイトに、劉源《りゅうげん》と衛霊《えいれい》の連名の論評が掲載された。

「民主集中制を確立・堅持し、組織と制度の建設を強化せよ」というタイトルである。同論評は、元国家主席劉少奇《りゅうしょうき》の生誕125周年を記念して書かれたもので、筆頭筆者の劉源氏は、劉少奇の遺子であり、人民解放軍の退役将軍。

劉少奇はもともと毛沢東の側近の一人で、周恩来と並び党と国家運営における毛沢東の右腕でもあった。1950年代末、毛沢東の妄動的な「大躍進政策」が失敗に終わり大飢饉が起きた後、穏健路線の劉少奇は毛沢東に替わって国家運営の実権を握るに至った。

劉少奇は毛沢東路線を退けて独自路線を推進した。だが、それに恨みを抱き、自らの権威失墜を恐れた毛沢東は1966年、「文化大革命」を発動した。

同時に劉少奇とその一派を粛清するに至った。劉少奇は死に追いやられ、彼の家族全員が監禁された。劉少奇は結局、毛沢東の協力者でありながら、毛沢東独裁政治の被害者となった人物といえよう。

こうした歴史の経緯を踏まえ、劉源氏による論評は、民主集中制に関する劉少奇生前の一連の発言を引用しながら、毛沢東流の〝独断〟に批判の矛先を向けた。劉源氏は次のように記した。

「劉少奇は多くの演説と寄稿に、中国共産党内において少数派は多数派に従い、個人が組織に従うことの重要性を指摘し、党の指導は集団的指導であって個人の指導ではない」

劉源論評はまた、毛沢東時代の大躍進政策の失敗にも触れている。

「大躍進政策が失敗した原因の一つは、指導者が自分と異なった意見に耳を傾けず、独断専行したことの結果」

さらにこう続けた。

「歴史の経験を踏まえて、集団的指導体制の確立と個人独断への反対は、党の重大原則として堅持すべきである。党の領袖を党と人民の〝監督下〟におくべきだ」

以上は、劉源論評の一部抜粋であるが、「習近平個人独裁」が確立し跋扈《ばっこ》する現在の中国の政治状況下では、この論評の論点と批判の言葉の一つ一つは、まさに毛沢東批判を借りての習近平批判である。その矛先は独裁者習近平に向けられていることは明々白々だ。

元国家主席を父に持ち、習近平政権第一期目では解放軍総後勤部政治委員を務めた劉源氏はもともとは習近平と同じ「太子党」一派。軍に対する習近平の腐敗摘発・粛清にも大いに協力した一人である。この劉源氏がいま、毛沢東独裁政治の〝被害者遺族〟の立場から毛沢東独裁批判を行いながら、実際には習近平批判を敢然と行ってのけたのは、驚きの出来事といえる。

あの王岐山が反習近平に転じた可能性大

論評掲載直後の11月6日、劉少奇生誕記念の音楽会が北京で開催された。劉源氏以外に周恩来、朱徳、陳毅、華国鋒、張雲逸など中共元老の子・孫世代の面々が参加した。そのなかには、現役あるいは退役の解放軍将軍も含まれていた。

上述の劉源氏による習近平批判と連結して考えると、この集会は劉源氏を中心とした「太子党」の反習近平集結の始まりだと見ることができなくもない。太子党の面々はいままで、共産党政権死守の立場から〝同じ志〟の習近平を支持してきた。

だが、ここにきて習近平側近政治により太子党は共青団派と同様に〝完全排除〟されてしまうとの恐れと、このままでは共産党政権そのものが持たないとの危惧の念が彼らに生まれた可能性も否定できない。

そして11月4日、中国著名メディアの「財新」は公式サイトにおいて、「改革には新しい突破が必要」とする社説を掲載した。社説は急死した李克強氏の名言「黄河と長江は逆流しない」を冒頭から引用し、経済改革における新しい突破を急ぐべきと力説したことで大きな話題を呼んだ。

現下の中国の政治状況において改革を語ること自体、習近平時代の時流に逆らうような話である。ましてや習近平のライバルであった李克強の名言を引用して「逆流しない」云々《うんぬん》とは、毛沢東時代に〝逆戻り〟する習近平政治に対する批判とも理解されよう。

「財新」の背後に控える人物が、習近平のかつての盟友、王岐山《おうきざん》氏であることはよく知られる。王氏は太子党の一員として、政権を守る視点から腐敗摘発に尽力し、習近平独裁体制確立の立役者でもあった。

だが、王氏の退任後、習近平との関係に亀裂が生じていたと思われる。

この王岐山が〝反習近平〟に転じたのであれば、それは太子党による集団的反乱の兆しである可能性は大だ。今後の動向は要注意である。

COLUMN

年度漢字にも投影される中国の国柄

昨年12月20日、中国国家言語資源監測・研究センターと商務印書館などの主催による恒例の「年度漢字」が選出された。

2023年における中国国内を表す漢字一字の「国内字」と、国外＝世界全体を表す漢字一字の「国際字」がそれぞれ発表された。前者は「振」、後者は「危」であった。

2023年の中国は、困難に怯《ひる》まずに経済を確実に振興させたことから、「振」の一文字がふさわしい。それに対して、国外ではウクライナ戦争が終わらないどころか、イスラエル・パレスチナ紛争が勃発。さらに日本による「汚染水放出」もあって、「危」の一文字に集約される。主催側はこのようにコメントした。

しかしどう考えても2023年の中国を「振」という文字で表すのは、あまりにも出鱈《でたら》目《め》で恥知らずと言うしかない。経済状況一つをとってみても、この1年間は中国経済が大失速しているのは世界中の人々が知っていることである。上海株も2023年12月には3

000ポイントの大台を大きく割り込んだ。

その一方、中国以外の世界全体を「危」の一文字で表したことにも、意図的な誇張を感じざるを得ない。一部の紛争地域で戦争が起きているから「危」であるとは言えるが、世界全体が決して危機的状況に陥っているわけではない。そもそも日本の汚染水云々というのも中国自身が撒いた、ただの〝ウソ〟であって中国人以外は誰も信じていない。

近年の中国版年度漢字を点検してみると、このような出鱈目さと厚顔無恥《こうがんむち》が同居していることが分かる。

2019年の国内字は「穏」、国際字は「難」。

2020年の国内字は「民」、国際字は「疫」。

2021年の国内字は「治」、国際字は「疫」。

2022年の国内字は「穏」、国際字は「戦」。

このようにして中国が自国を表す毎年の漢字一字は決まって「穏」「治」などのプラス評価の良い漢字を持ち出す一方、世界全体に関しては毎回、「難」「疫」「戦」などのマイナス評価の漢字を用いており、これは不変の伝統なのであろう。

それは、自国を自画自賛し世界全体を意図的におとしめることにより、共産党体制の正当化を図る政権の狙いからのプロパガンダに他ならない。長年このような宣伝工作にさらされてきた中国国民の多くが、このような誤った自己認識と世界認識を植え付けられている現実を我々も認識しておくべきであろう。我々と彼らの世界観には断絶が常に横たわっている。

第6章

習近平に屈辱の旅となったAPEC首脳会議

水泡に帰した中国政府の外交的努力

APEC首脳会議を控えた中国の対米おもてなし作戦

2023年11月15日（米国東部時間）、APEC首脳会議の開催にともなった米中首脳会談が世界注目のなか、サンフランシスコで開催された。これはインドネシア・バリ島で開かれた前回の首脳会談から約1年ぶりの会談だった。実は中国の習近平政権は、その2ヵ月ほど前から11月のAPEC首脳会議の雰囲気づくりや閣僚会談のための地ならしを入念に行ってきた。

まずは9月12日、習近平国家主席は第二次世界大戦中に中国を支援した米義勇航空部隊「フライング・タイガース」の退役軍人たちからの書簡に返信した。退役軍人たちがいつ習主席に書簡を送ったのかは不明だが、習主席がこのタイミングで彼らに返信したのは当然ながら、これを利用して関係改善への意欲を米国側に示しておきたいからに他ならなかった。

習主席は返信のなかで、「中米両国は大国として将来に向けて世界の平和、安定、発展に重要な責務を負っており、相互尊重、平和共存、ウィンウィン関係を実現しなければならない」と記して、自ら米国側に熱烈な〝ラブコール〟を送った。

2023年10月24日、習主席は北京人民大会堂にて米国カリフォルニア州知事と会談した。中国の国家元首が米国の一州知事と会談するのは異例中の異例だが、習主席は会談のなかで「米国との相互尊重・共存共栄」を大いに語り、今後の協力強化を展望した。10月24日から26日まで、王毅外相がワシントンを訪問、バイデン大統領、ブリンケン国務長官らと会談を行った。それは当然ながら、首脳会談への下準備の重要なる一環であった。

そして11月4日、「米中友好都市大会」が中国江蘇省で開かれた際、習主席は自ら祝賀の書簡を送り、中米間の友好交流の推進や中米関係の安定かつ健全なる発展を訴えた。11月4日から7日まで中国は解振華《かいしんか》・気候変動問題担当特使を米国に派遣し、ケリー米大統領特使（気候変動担当）と会談させた。さらに米中首脳会談直前の15日、米国側は上述の会談で米中両国が気候変動分野での協力について合意したと発表した。

加えて11月8日から12日、今度は中国の何立峰《かりつほう》副首相が米国を訪問、イエレン米財務長官と数日間にわたって会談した。

このようにして首脳会談開催に至るまでの2ヵ月間、中国側は3回にわたり副首相、大臣クラスを一方的に米国に遣わした。そして習主席自身もラブコールの書簡を乱発したり、格下の米国州知事と会談するなど、あらゆる機会を用いて米国に関係改善への〝熱意〟を伝えた。一方、気候変動問題においては、米国と合意を形成した。

バイデン政権に対して行き届いたもてなしを行ったのは、習主席と中国に対するバイデン大統領の心証を良くして、首脳会談を成功裏に導こうとするための外交的努力であった。

不首尾に終わった中国流の強請り

他方、中国は自ら首脳会談の実現を熱望しながらも、米国側に対し、「会談実現を望むならばこちらの要求を聞き入れるよう」という形の強請《ゆす》りをかけていた。

10月28日、米国側との一連の会談を終えた王毅外相は、米国民間人との座談会で次のように語った。

「中米両国は首脳会談の実現に向けてともに努力することに合意しているが、サンフランシスコへの道のりは平坦なものではない。〝自動運転〟を期待すべきではない」

その意味するところはすなわち、①中国側はいまだに首脳会談の開催に合意していない。②首脳会談の実現には依然として障害があり、何もせずに首脳会談が自動的に実現できるものではない。つまり、王外相はここで「首脳会談の実現を望むなら、中国の要求を聞いてなんとかしろ」と米国に迫ったわけである。

自ら会談の開催を熱望しながらも、実現を一枚のカードにして相手に揺さぶりをかけ要求を飲ませようとするのは、中国の外交手法の一つでもある。しかしながら、この王毅発言は逆に、彼とバイデン大統領、ブリンケン国務長官との会談において米国側が中国に譲歩しなかったことの証左であった。王毅がこの時点でかなり焦っていたことが透けて見えてくる。

10月30日、人民日報系の環球時報は米中首脳会談の開催を論じる社説を掲載した。「サンフランシスコへの道のりは平坦なものではない」と語った王外相の言葉を引用しながら、首脳会談実現のためには、米国側の譲歩が不可欠である。それは対中関税の撤廃や台湾に対する支援の取り止めなどをはじめとするさまざまな中国側の要求であると。

そして11月8日、首脳会談開催のわずか1週間前、中国外務省の汪文斌《おおぶんひん》報道官は定例記者会見の席で、前述の「道のりは平坦でない」「自動運転を期待すべきでない」という王外相の言葉をもう一度持ち出して、米国側に揺さぶりをかけた。つまりこの時点に至っても、米国側はいっこうに中国の要求を飲まなかったわけだ。

そして2日後の11月10日、中国外務省は習主席の訪米と首脳会談の開催を正式発表した。両大国間の首脳会談が開催のわずか5日前に正式発表されるのは外交上、極めて異例なことだった。要するに、中国側はギリギリのタイミングで米国側に強請りをかけ、ギリギリの線で会談の開催を発表せざるを得なくなったのである。

しかしながら、後で取り上げる首脳会談の結果から見ても分かるように、「会談カード」を使っての中国側の強請り作戦は、この時点で完全に失敗に終わった。

実際、中国国営新華社通信が11日に報じたところによると、訪米中の何立峰副首相はイエレン米財務長官との会談で、半導体の対中輸出規制などに対する懸念を表明し、見直しの具体的な行動を求めたという。

つまり、中国側が首脳会談の開催を正式に発表した時点でも、米側は依然として中国の「強請り作戦」に屈していなかったことが、これで判明した。にもかかわらず14日、米国からの譲歩を迫る作戦が失敗に終わったなか、習主席は屈辱と徒労の旅に出向くことになった。

習主席に特別待遇を与えなかったバイデン大統領

米中首脳会談は、11月15日（現地時間）においてサンフランシスコの郊外で行われた。実はそれに先立って13日、バイデン大統領はまずＡＰＥＣに参加するインドネシアのジョコ・ウィドド大統領と会談した。

その扱いにより、米国側はその後の米中首脳会談についても、ＡＰＥＣ会議の開催にともなう一連の首脳会談の一つに過ぎないこと、習主席に〝特別待遇〟を与えていないことを示唆《しさ》したのではないか。

実際、習主席が専用機でサンフランシスコの空港に到着した際、カリフォルニア州知事やイエレン財務長官が出迎えたものの、ブリンケン国務長官など大物閣僚は顔を見せず、習主席のために赤絨毯《あかじゅうたん》が敷かれることもなかった。

こうしたなかで開かれた世界注目の首脳会談。米中両国、あるいはバイデン大統領と習主席がこの会談を通して、どのような成果を上げるのかが、最大の注目ポイントであった。

まず会談に臨む米国側の狙い、あるいは目標はどのようなものであったか。それは会談冒頭で記者に公開する部分でのバイデン大統領の発言に凝縮されていた。

バイデン大統領はここで、「両国の競争が衝突に発展しないよう確実にし、米中関係について責任を持って管理する必要がある」と語った。つまり米国側としては、米中関係の改善にさほど関心がなく、両国間の競争が衝突に発展しないよう、どう管理していくのか。それがバイデン政権の最大の関心事であったのだ。

ここでの衝突を回避する管理とは当然、軍事衝突を未然に防ぐための管理を意味するわけだ。そのためには米中両軍の間の対話、意思疎通が必要不可欠であるのは自明のことである。

実際、この首脳会談に臨むにあたりバイデン政権が一番の達成目標としていたのは、2022年8月のペロシ議長訪台以来、中断されたままの中国軍との対話の再開であった。11月12日、サリバン米国家安全保障担当大統領補佐官は米CNNのインタビューで、予定される米中首脳会談について「バイデン大統領は軍同士の対話を〝再構築〟したいと考えている。これはもっとも重要な議題だ」と述べた。

首脳会談前日の14日、バイデン大統領も「危機が起きたときに互いに電話で話せるような通常の関係に戻すこと。軍同士のつながりを再確認することだ」と述べ、両軍対話の再開に多大な期待を寄せた。

中国の要求にゼロ回答を突きつけた米国

首脳会談が終わったところで、双方の公式発表を見ると、会談の結果はまさにバイデン大統領と米国側の期待どおり、米中両軍の対話再開は米中両首脳間の最重要な合意事項となった。それを受け、日本の大新聞を含めた世界のメディアはこぞって、「両軍の対話再開に合意」のタイトルで会談の結果を報じた。バイデン大統領の一番の目標は達成された。

また、首脳間ホットラインの設置についても合意が成立、バイデン大統領が望む「危機が起きたときに互いに電話で話せるような通常の関係に戻すこと」も実現できた。

米国側の関心事の一つであった「中国産フェンタニル問題」に関しても、進展があった。米側の発表によると、両首脳は米国で薬物過剰摂取問題の主な原因となっている医療用麻薬フェンタニルの供給源への対処について協力することで合意したという。

こうしてみると、首脳会談の結果は米国側にとっては望みどおりのものであったことから、バイデン大統領は高笑いしたに違いない。ＮＳＣ（米国家安全保障会議）のカービー戦略広報調整官は11月16日のオンライン記者会見で、バイデン大統領が習主席との会談内容に「非常に満足している」と述べたが、それは大統領と米国側の本音と見るべきであろう。

その一方、習主席と中国側は首脳会談に臨んで何を目標とし、そして何を得たのか。まず中国側の訴求に関しては、11月16日付の人民日報が一面掲載した、首脳会談に関する公式発表を読めば一目瞭然であった。

中国側の発表では、習主席は会談のなかで、①米国側への具体的要求として、台湾問題の重要性を強調した上で、「台湾を武装させることを止め、中国の平和統一を支持する」ことを求めた。②米国政府による対中国輸出制限と一方的な制裁措置を批判し、それらを撤回することを求めた。

以上の2点はまさに習主席と中国側の最大の注文であった。しかし会談後の米中両国の公式発表と各メディアの報道を見ると、この2つの要求に対するバイデン大統領の反応はまったくの〝ゼロ回答〟であることが分かった。

中国側の発表では、バイデン大統領が台湾問題に関して、「台湾独立を支持しない」との言葉を口にしたとあったが、それは米国政府のかねてよりの常套句の〝繰り返し〟であり、何の新味もない。

一方、中国側の発表から見ても、習主席が強く求めた「台湾を武装しないこと」と「中国の統一を支持すること」に対し、バイデン大統領はまったくの無反応、黙殺の形で一蹴《いっしゅう》したと思われた。

また、習主席が求めた対中国輸出制限と一方的な制裁措置の撤回については、中国側の発表でも、バイデン大統領の口からの具体的言及（すなわち言質《げんち》）は一切なかった。つまり、バイデン氏は習主席の求めに一切応じなかったのだ。

要は、習主席は首脳会談にあたり、バイデン大統領の求めに応じて首脳ホットラインの設置や両軍対話再開などで米国との合意に達したものの、自らの要求するものに関して大統領から何一つ合意を取り付けることができなかった。

米国の術中にはまった中国

中国の台湾侵攻計画を明確に否定した習近平

先に記したように、2ヵ月前から同首脳会談を成功させるために、習主席と中国側はあらゆる機会を利用して米国に関係改善への意欲と熱意を示した。あるいは、米国からの譲歩を引き出すために強請り作戦も展開したが、結果的には媚《こ》びも強請りも何の効果もなかったようだ。習近平にとっての米中首脳会談は、譲歩する一方において何の成果も挙げられない大失敗となった。

そしてもう一つ、首脳会談における習主席はおよそ彼自身の思いもつかないところで大失態を演じてしまった。

先の「台湾併合戦争は遠のいたのか?」の章で記したとおり、習主席はバイデン大統領に対し、「2027年か35年に台湾を侵攻するような計画は中国にない」と語り、海外で報じられている中国の「台湾侵攻計画」を明確に否定した。

この発言は米国高官によりリークされ、世界中に報じられた。当然、台湾のなかでも大きなニュースと話題となった。

同発言により、「独立派の民進党候補が次期総統となれば、中国は必ず戦争を仕掛けてくる」という国民党の言い分は直ちに説得力を失い、国民党の選挙戦のための切り札の一枚は無効化された。

前回の台湾総統選と同様、台湾独立派の民進党に〝助太刀《すけだち》〟したのは習近平共産党であった。

バイデン大統領からのご褒美とは？

こうしてみると、首脳会談における習主席の失敗はもはや明々白々である。しかしそれでは習主席には立場もメンツもない。そこで、首脳会談で実をとったバイデン大統領は、習主席のメンツを立てるために二つの演出を通して〝ご褒美《ほうび》〟を与えた。

バイデン大統領は会談と昼食会が終わった後、会談の場所となった邸宅の庭園で習主席と一緒に散歩した。そしてこの散歩の写真は、翌日の人民日報一面に掲載された。それ以外の一部官制メディアも大ニュースとして取り上げ、中国国内ではそれが習主席訪米成功の〝証〟とされた。

そして習主席が会談場所の邸宅を後にする際、バイデン大統領は彼を玄関口まで送り車に乗るのを見送った。それもまた、中国国内で大ニュースとして取り上げられて、環球時報に至っては、それをニュースのタイトルにして報じた。

バイデン大統領がとったこの二つの行動は、自分の古い友人でありながら〝敗軍の将〟となった習近平の立場に配慮したものであろうと思われる。逆に中国側はこのようなささやかなご褒美を大きく取り上げざるを得なかった。習主席の外交的失敗を覆い隠すための格好の材料となったわけだが、筆者に言わせればまさに「情けない」の一言に尽きよう。

だが、バイデン大統領は敗軍の将に情けをかけた直後に、再び習主席に追い討ちの一撃を放った。会談結果についての記者会見において、記者からの質問に答える形で、バイデン大統領は「習近平は独裁者だ」と明言した。これについては、読者諸氏も記憶されているであろう。

さすがに中国外務省もこのバイデン発言には直ちに反発して見せたが、中国国内ではこの一件は一切報じられていない。国民の知るところとなれば、習主席の訪米失敗はもはや隠せなくなるからだ。

このようにして中国は、もはや情報統制という常套手段を使う以外に、習主席の失敗を覆い隠しメンツを立てる方法はなかった。鳴り物入りの習近平訪米は習主席と中国にとってはまったくの失敗と屈辱の旅となった。

COLUMN

2024年の中国を貫く「絶望」の二文字

毎年の元旦前後、中国国内では微博やネット番組で「新年所感」を発表する有名人が多くいる。本年は二人の有名人が注目を集めていた。一人は超有名な映画監督・俳優の馮小《ふうしょう》剛《ごう》氏。もう一人は国内では声望の高い著名企業家の曹徳旺《そうとくおう》氏であった。

馮氏は12月31日に自らの微博で「新年の言葉」を発表したが、特に注目されたのは去る2023年に対する回顧と総括であった。

彼曰く、「2023年は経済的に難儀があったとしても、われわれが平和の環境下で生活してきたことに感謝すべきだ。われわれは防空警報を耳にして慌て逃げるようことはないし、夜中に爆発音で起こされることもない。われわれは単にポケットのなかのお金と茶碗のなかの肉が少なくなっているだけのことだ。以前は日本の北海道に旅行したけれど、今回は家の近くでの散策で我慢しているだけのことだ。暮らしが良いかどうかは比較の問題でしかないのだ。（戦争中の）ウクライナ人やガザの人々と比べれば良い。平和とは、すなわちわれわれの幸福である」

馮氏は2023年に多くの中国人の暮らし向きが困窮《こんきゅう》し、生活水準が落ちていることをわざと淡々とした口調で語るのであった。ひるがえって、経済はお手上げだったけれども、われわれは戦禍に巻き込まれていない。戦乱で苦しむウクライナ人やガザの人々と比べれば、われわれは幸福ではないかと。

こうして彼は自分自身と中国人を慰めているようだ。だが、彼は〝裏声〟でこう語っていたのだと筆者は思うのだ。

「2023年の中国人が置かれていた状況は、戦禍のさなかにあるウクライナ人やガザの人たちと比べれば辛うじて良いと言えるような悲惨なものである。彼らと比べる以外に2023年の中国人が〝幸福〟を感じることはできない」

著名文化人の馮氏は、この程度の惨めな幸福感を抱きながら、自分自身と中国人を慰めるしかないと、裏声でささやいたわけである。

馮氏の所感がネット上で多大な共鳴を呼んだことからも分かるように、「戦乱の国より多少まし」というのは、まさに2023年の中国の現状であり、多くの中国国民の実感でもあったのだ。

馮氏の所感と並んで注目を集めたのは、著名企業家かつ財界のご意見番の曹徳旺氏の「年末の言葉」であった。彼は12月31日、ある公開映像のなかで次のようなことを語った。「明日（来年は）は良くなる、明後日（再来年）はさらに良くなると、自分自身をダマすのはもう止めよう。新しい年は多くの困難が待っている。われわれは困難を乗り越えるしかない。死ぬことはまずないが、（いままで）より苦しむこととなろう」

曹氏はここで、「明日は良くなる」というような楽観論は、ただの自己欺瞞《ぎまん》だと喝破《かっぱ》し、新しい年には多くの困難があることを人々に警告している。彼からすれば、2024年には「死ぬ」ことはないが、それ以外は何でもあり、ということであろう。

このようにして、著名文化人の馮氏は去る年を回顧し、「戦禍に巻き込まれていないことだけが中国人の幸福」と言って、惨め感たっぷりの所感を述べた。

著名企業家の曹氏は2024年を展望し、「死ぬことはないから大丈夫」と、むしろ底なしの悲観論を露骨に披露している。

どう考えても、2023年と2024年の中国を貫くのは「絶望」の二文字であり、巨大国家の中国はまさに絶望のなかで沈没を続けていくのであろう。

第7章

仕上げの段階に入った毛沢東と習近平の同列化

第二の毛沢東登場宣言の不気味さ

タイコ持ちに成り下がった鄧小平

昨年12月20日、中国共産党中央委員会機関誌の「求是」は公式アカウントで、12月26日の「毛沢東生誕130周年」を記念して、毛沢東をことのほか称揚《しょうよう》する論評を掲載した。

論評は、毛沢東が犯した殺戮《さつりく》などの歴史的大罪や中国人に多大な災難をもたらした文化大革命などには一切触れず、「一代偉人」、「崇高なる精神」、「輝く業績」、「偉大なる革命領袖」といった言葉で毛沢東をべた褒《ぼ》めしたものであった。加えて、「毛沢東はわが党の誇り」、「わが国の誇り」、「中華民族の誇り」だと、近年において稀に見る過剰な〝毛沢東讃美〟を行った。

さらに論評は、「あらゆる指導体制には核心的人物が不可欠だ。毛沢東主席がいなければ中国革命の勝利はなかった」とする鄧小平《とうしょうへい》の言葉を引用、その口を借りて「核心となる指導者の偉大さ」を強調してから、話をいまの習近平主席へと誘っていった。

論評はこう続けた。「2012年秋の18回党大会以来、わが党は習近平総書記という人望の厚い指導者を、わが党、人民の領袖、軍の統帥の核心として得た。それは党と国家の幸運であり、人民の幸運であり、中華民族の幸運である」と。

このように同論評は、従来の「習近平礼讃」を超越した、この上もない絶賛の言葉を習近平に捧げた。

さらに論評はこう呼びかけた。

「〝二つの確立〟は全党・全軍・全国人民の高度なるコンセンサスと共同意思であり、わが党があらゆる不確定性に対処していくための底力である。われわれは今後、この〝二つの確立〟の決定的な意義を深く理解した上で習近平同志を核心とする党中央と高度なる一致を保たなければならない」

上述の二つの確立とは、「習主席の党の核心としての地位の確立と国の指導理念としての習近平思想の確立」に他ならない。

この求是論評の狙いは明らかだ。中国共産党政権の創始者である毛沢東を「偉大なる革命領袖」と美化しておきながら、いまの習近平こそは毛沢東の継承者であり、並び立つ

「人民の領袖」であることを位置付けることにある。

このなかで改革開放の時代を切り開いた鄧小平のことは、むしろ毛沢東の〝タイコ持ち〟に矮小化《わいしょう》され、逆に習近平は一気に開国の祖である毛沢東と〝同列化〟された。

そして12月26日の毛沢東生誕130周年記念日当日、習近平は共産党指導部全員を率いて北京の「毛沢東記念堂」で盛大な記念式典を催し、そこで堂々と「毛沢東継承宣言」を行った。

それを受け、共産党政権は今後、宣伝機関をフル回転させて「習近平礼讃運動」を展開、習近平を第二の毛沢東に祭り上げていくのであろう。

周知のとおり、これまで習近平政権の下では政治路線の「毛沢東回帰」、および習近平自身の「毛沢東化」が進められてきた。

これからはその総仕上げ・集大成の時期となるのは間違いない。

イエスマンしかいない政治局会議の醜悪

カルト宗教的な教祖と教団幹部の関係にある政治局内

昨年12月21日、22日の2日間、中国共産党政治局は習近平総書記の主宰で「民主生活会」を開催した。民主生活会とは中国共産党指導部が年に一度開く恒例の会議だ。政策方針の討議や決定などがテーマではなく、指導部内の思想交流および意思疎通を図るための特別な会議である。

習近平政権発足後、とりわけ一昨年秋の党大会で習近平個人独裁体制が確立してから、民主生活会は、指導部メンバー間の対等な交流の場ではなくなってしまった。要は、指導部メンバー全員が独裁者の習総書記に対して一方的に思想報告を行い、習総書記から〝思想指導〟を受ける場に転じてしまったからだ。

昨年末の民主生活会も、やはりそうなった。「習近平思想を学ぶ勉強会」と位置付けられ、政治局メンバー全員が習近平思想を学ぶことを〝強要〟される会となった。

そのなかで習氏は、政治局委員の一人ひとりから「自己点検と反省」を聴取し、「点検と反省」に評価を下し、なおかつさまざまな要求を突き付けたと報じられた。

このような会議において習総書記と各政治局委員との関係は、もはや「上司と部下」との関係ではない。習近平が唯一の思想的指導者となり、それ以外の共産党指導部メンバー全員は彼からの指導を受けなければならない。そう、あたかもカルト宗教的な教祖と教団幹部の関係となっている感があるのだ。

そして今回の会議の最終段階において、習総書記は総括の重要講話を行ったが、それにはいくつか習政権の〝内部事情〟をうかがわせるような重要な内容が含まれていた。ここでは、それらを取り上げて分析してみよう。

現在の政治局委員の本心をようやく認識した習主席

民主生活会に対する全体評価として、習近平はこう語った。

「会議は効果を上げ、政治的身体検査を行い、政治的埃《ほこり》を払い落し、政治的霊魂の浄化を図る目的は達成された」

一昨年秋の党大会で、習近平は反対勢力を党内から一掃した後、自分の側近や子分で党指導部を固めた。したがって現在の政治局委員たちは、全員が習近平の信頼すべき「習近平派幹部」であるはずなのだ。

だが、それでも習近平は彼らに対して「政治的身体検査」や「政治的埃の払い落し」を行うことを命じている。これは何を意味するのか？

結局、習近平という独裁者は自らのいかなる側近・子分も本心から信用していない。彼らの関係性は、いわゆる一心同体のような信頼関係ではまったくないことが分かる。

これには自ら抜擢した秦剛前外相や李尚福前国防相の首を自ら切ったことにも一脈通じるところがある。

部下や子分に対する過度な疑心暗鬼《ぎしんあんき》は、常に独裁者習近平の政治スタイルの根底を占拠するわけだから、政権の中枢においては今後、かつての毛沢東時代のような果てしない政治闘争が繰り返されていくことが予想できよう。政治不穏は習近平政権の〝常態〟となると考えるのが妥当であろう。

習近平は今回の民主生活会の総括講話では、政治局委員たちに対して次のように語った。「党中央の権威にしたがうということは、抽象的ではなく具体的行動をともなうべきである。実際の行動をもって〝二つの確立〟を擁護しなければならない」

本来、政治局とは党中央そのものであるから、政治局委員に対して「党中央の権威にしたがえ」とは実におかしな話だが、習近平がここで語る「党中央の権威」とは実際は〝彼自身〟の権威を指している。また、ここに出てくる二つの確立とはまさに習近平自身の「核心的地位の確立」を指している。

要するに習近平はここで、政治局委員全員に対し、「実際の行動をもって」習近平自身の権威に服従し、習近平自身の地位を擁護することを求めたのだ。

その意味するところは、側近・子分からなる現在の政治局委員たちでさえ、本心から彼の権威に従い、彼の地位を擁護しているわけではないこと。現在の党指導部のメンバーたちは単に、実際の行動をともなわない表向き、口先だけのレベルで従っていることを、習近平は認識しているということになろう。

現状を招いた真犯人はバカ殿自身

個人独裁体制が確立してから1年余り、共産党指導部内部においてはむしろ「習近平権威の空疎化・空洞化」が起きているのである。

習近平は民主生活会の総括講話のなかでもまた、政治局委員全員に対してこう告げた。

「政治局委員の同志たちは、自らの仕事のなかで把握した本当の実情を即時に、客観的に報告してこなければならない。只報喜不報憂」

つまり、喜ばしいことだけを知らせ、悪いことは知らせないことはあってはならないと釘を刺したのだった。

ここで言うところの「報喜」とは、「上が喜ぶような報告を行う」ことであって、「報憂」とは逆に「上が憂慮しないといけない報告を行う」ことである。このようにして習主席が政治局委員全員に対して「本当の実情を客観的に報告せよ」と求めたり、「只報喜不報憂」があってはならないと釘を刺した理由は、読者諸氏にも明らかであろう。

当然ながら、現在の党指導部のメンバーたちは習主席に対して国の本当の実情を客観的に報告せずに、まさに「只報喜不報憂」を〝励行〟しているからに他ならない。

むろん、このような状況をつくり出した〝真犯人〟はそもそも習主席自身であり、側近と子分で党指導部を固めた「人事」の必然なる結果でもある。

しかしここにて、習主席自身もこのような状況に対し危機感を覚えたと見える。その一方、政治局委員に対する前述の訓示をあえて公表したことは、習近平が自らの失政、失敗に対する〝言い訳〟にも聞こえる。

もちろん習主席がこう求めたからといって、側近・子分たちが今後、この国の本当の実情を直截《ちょくさい》に主席に報告してくるとは考えにくい。独裁者となった主席の歓心を買うこと以外に自らの地位を守る術のない彼らは、これからも「只報喜不報憂」に徹していくと思われるからである。

無能なイエスマンが暗愚な独裁者を囲む空恐ろしい現実

民主生活会の総括講話の締めくくりの部分で、習主席は政治局委員たちに次のような指示を出した。

「政治的風険（リスク）を未然に防止し、それを解消しなければならない。特に非政治的風険が政治的風険に転化することを何よりも警戒すべきだ」

ここでの「風険」とは「未来に起きるかもしれない危険」という意味合いである。「非政治的風険が政治的風険に転化する」とは要するに、経済崩壊とそれともなう大量失業の拡大が社会の動乱をつくり出して政権崩壊の危機をもたらすことを指しているのであろう。

経済の崩壊を食い止める術もなくサジを投げた習主席は、ここにきて政権に危険が迫ってきていることを強く意識して大変な焦りを感じたのではないか。側近・子分たちにそれを食い止めることを強く求めているが、それは、そもそもないものねだりと言うものだ。

現在の党指導部の面々は危機解消に努める意欲もなければ能力もない。したがって彼らのやることは、すべて自らの保身を図るための責任逃れと責任転嫁でしかない。

このようにして政権の中枢である政治局においては、習主席自身が部下たちに常に疑心暗鬼になっている一方、側近の幹部たちはうわべでは習近平に服従するふりをしておきながら本心では自分たちの保身に専念する。最高指導者の主席に経済・社会の実情をごまかして彼が喜ぶような情報しか持っていかない。

このような指導体制の下では政権が来たるべき風険にきちんと対処できるはずがない。「無能なイエスマンが暗愚《あんぐ》な独裁者を囲む」。そんな構図を抱える中国共産党政権は、破滅への道をひたすら突き進むのであろう。

習近平王朝の筆頭宦官は党内序列5位の蔡奇

前代未聞の権力を掌握した古参部下

いわゆる「宦官政治《かんがんせいじ》」とは、中国史上に時々現れて跋扈《ばっこ》する、異常な権力構造と政治形態の一つであろう。

歴代王朝の宮廷のなかには皇帝に奉仕する宦官集団が存在した。時にはその宦官集団のトップが皇帝の最側近となって皇帝の意志を代弁、皇帝権限の一部あるいは全部を〝代行〟した。すなわち宦官が絶大な権力を握り、朝廷を支配したのであった。

宦官政治が成り立つには、最側近の宦官が常に皇帝の身辺に侍《はべ》り、皇帝への情報伝達ルートを握り、皇帝の意思である〝聖旨〟の伝達と公布を独占しなければならない。例えば秦王朝二代皇帝の胡亥《こがい》を操った趙高《ちょうこう》や、明王朝の天啓帝を傀儡《かいらい》にした魏忠賢《ぎちゅうけん》は、こうした宦官政治の典型であった。

そして、いまの中国の「習近平王朝」において最側近であり〝筆頭宦官〟のような立場で宦官政治を行おうとする人物がついに現れた。共産党政治局常務委員・党内序列5位の蔡奇《さいき》である。

蔡奇は1955年12月生まれの68歳。習近平が福建省でトップを務めた時代の〝古参部下〟だ。2012年秋に習近平が共産党トップとなった後、蔡奇は北京に呼ばれ、新設の中央国家安全委員会弁公室副主任に抜擢《ばってき》された。2016年から2022年10月までは北京市トップを務め、習近平側近として首都の掌握に尽力した。

2022年10月開催の党大会で、李克強ら共青団派幹部が最高指導部から一掃された後、政治局員・北京市党書記だった蔡奇は党内序列5位の政治局常務委員に昇格、党の最高指導部入りを果たして政権の中枢に座ることとなった。

それと同時に蔡奇は党中央書記処の筆頭書記となり、党の事実上の幹事長役を務めることとなった。ほどなくして彼は中央弁公庁主任（日本で言えば習近平に仕える官房長官役）にも就任した。

中国共産党政権の歴史をたどってみると、中央書記処の筆頭書記が中央弁公庁主任を兼任するのはきわめて異例なこと。加えて政治局常務委員が中央弁公庁主任を兼任するのは、さらに異例。まさに前代未聞といえる。

これはすなわち、総書記の習近平にとって蔡奇は、いなくてはならない存在であることを如実に示しているわけである。彼は事実上、習氏の最側近として人事など含めた党務を牛耳《ぎゅうじ》る立場となっている。

習近平の名代として公の場で聖旨を伝える蔡奇

昨年5月20日、習近平は第20期中央国家安全委員会第1回会議を主宰した。この会議で、蔡奇が国家安全委員会の副主席に就任していることが判明した。それまでの第19期中央国家安全委員会には副主席ポストが二つあって、全人代委員長と国務院総理（首相）がそれぞれ副主席を務める慣例であった。だが、第20期国家安全委員会には副主席ポストが一つ増設され、蔡奇は従来の慣例を破って3番目の副主席に収まった。

通常、全人代委員長と国務院総理は国家安全委員会の仕事にタッチすることはあまりない。したがって権限絶大の国家安全委員会の実際の運営を取り仕切るのは、蔡奇ということになる。これで蔡奇は党務のみならず、人民解放軍や公安にも手を伸ばすことができるわけで、習近平政権のなかでダントツの〝権臣〟、政権の事実上のナンバー2となった。

そして最近の蔡奇の動向と仕事ぶりを見ていると、習近平皇帝の最側近として昔ながらの「宦官政治」を実際に行っているのではないかと思われる。

9月6日~8日、習近平は黒竜江省を視察、蔡奇は指導部メンバーのなかではただ一人、習氏の視察に随行《ずいこう》した。9月9日、習近平は「東北地方振興座談会」を主宰した際、蔡奇はもう一人の習近平側近の丁薛祥とともに参加。9月20日、21日、習近平が浙江省を視察した際にも、蔡奇は指導部メンバー中で唯一、随行した。9月24日、習近平がアジア大会開幕式に出席した際にも、蔡奇は丁薛祥と列席した。

このように、いまは習近平のいるところには必ず蔡奇がいて、習近平が行くところへは蔡奇は必ず随行する。習近平にとっての蔡奇の存在は、まさしくかつての皇帝にとっての〝筆頭宦官〟そのものである。

昨年秋以降、蔡奇は、習近平の名代《みょうだい》として公の場に頻繁に出てくるようになった。2023年9月13日、14日、「全国党委員会と政府の秘書長会議」が北京で開催され、蔡奇は唯一の政治局常務委員として出席した。そこで彼は習近平の重要指示を参加者全員に伝達した。

10月7日、8日、「全国宣伝思想文化工作会議」が北京で開催された。蔡奇は最高指導部のなかで唯一会議に参加し、熱弁をふるった。そのなかで、習近平の重要指示を伝達する大役を仰せつかった。ここで蔡奇が果たす役割は、皇帝の意思である聖旨を官僚たちに伝える、かつての宦官のそれとまったく同じである。

10月9日、中国工会（労働組合）全国代表大会が北京で開幕した際、その開幕式に習近平以下6名の政治局常務委員が出席したが、党中央を代表してスピーチしたのはやはり蔡奇であった。習近平皇帝がその場にいても、その代弁者となるのは宦官蔡奇なのである。

こうして紹介してきた突出した蔡奇の増長ぶりと権勢の大きさは、史実上の「宦官政治」の〝台頭〟を意味している。このような傾向が今後ますます強まると、中国史上に付き物の宦官政治の跋扈と、それによる政治の乱れと王朝崩壊の歴史が繰り返されるかもしれない。習近平王朝はどうやら、歴代王朝が崩壊する前の末期症状を呈し始めているのである。

COLUMN

情けない限りだった日本の経済訪中団の迎合ぶり

本年1月23日から26日まで、経団連の十倉雅和会長を最高顧問とする日本の「経済訪中団」は4年ぶりに北京を訪問した。訪中団は24日、中国国家発展改革委員会副主任や商務大臣などの中国政府高官と相次いで会談。そして25日、今回のメインイベントである李強首相との会談を実現した。

日本国内の報道によると、中国国家発展改革委員会・商務省幹部との会談では、訪中団は「反スパイ法」運用の〝改善〟を求め、日本人のビザなし渡航の再開も中国側に求めたという。そして李首相との会談では、訪中団が日本産海産物の禁輸解除を求める提言書を提出したと報じられた。

こうしてみると、「反スパイ法の運用改善」、「ビザなし渡航の再開」、そして「日本産海産物の禁輸解除」という三点セットが訪中にあたっての日本側の基本的要求であることは分かる。そして経済訪中団は、まさにこの三つの要求を中国政府に聞き入れさせるために北京を訪れたはずであった。

しかし、日本の訪中団からの上述の三つの要求に対し、中国政府の示した反応はまったくの無反応、つまり〝ゼロ回答〟であった。訪中団に関する中国側の公式発表と報道においては、日本側が前述の諸要求を出した事実に対する言及すらなかった。日本側の要求が完全に無視され、要は「なかった」ことにされていた。

もちろん日本側の報道を見ても、中国政府が日本側の要求にいっさい応じなかったことが分かる。例えば1月25日に配信された共同通信の関連記事のタイトルはズバリ、「経済界訪中団、李強首相に提言書、水産物禁輸解除、明確回答なし」であった。

1月26日のテレビ朝日のニュースはこう伝えた。

「北京を訪れている経済界の代表団は、李強首相ほか商務相らと会談した。日本側からは、ビザなし渡航の再開や食品輸入規制の緩和を求めるとともに、反スパイ法への懸念などを伝えたが、具体的な進展はなかった」

経団連の十倉会長は北京で開かれた総括会見において、「中国側の日本に対する期待や日中経済関係の一層の緊密化に向けた熱意を感じることができた」と語ったものの、彼の言葉は実に空虚に響いた。

皮肉を言わせてもらうが、結局、実体のない熱意を勝手に感じたことが、日本の経済訪中団が手に入れた唯一の成果だったのである。

一方、日本の経済団体トップがそろっての訪中に対し、中国政府は全体的に冷ややかな態度であった。それは、25日の李強首相VS訪中団会談に対する人民日報の取り扱いに如実に現れていた。

李首相と外国賓客《ひんきゃく》との会談記事は通常、人民日報の第一面に載せられることが多い。ところが、1月26日の人民日報は何と、李首相と日本訪中団との会談記事を第三面で掲載した。文字どおりの三面記事扱いという〝冷遇〟であった。

実は同25日、李首相の部下にあたる丁薛祥筆頭副首相が世界銀行の執行理事らと北京で会談している。同会談の記事は26日の人民日報で第一面に掲載されており、三面掲載の李首相会談記事と大差を付けられてしまった格好だ。

慣例と格式から大きく外れたこのような取り扱いは明らかに、日本の経済訪中団に対する中国政府の軽視・軽蔑の現れであろう。その一方、人民日報の関連記事は文中、李首相との会談における日本経済三団体責任者側の発言を次のように伝えている。

「中国は世界経済の発展を牽引する重要な原動力である。中国経済は健全にして安定なる発展を保っており、日本の経済界は大変鼓舞されている」

いまの時点で、「中国経済は健全にして安定なる発展を保っている」とは、まさに事実無視の戯言と言うしかない。だがそれも結局、訪中団の責任者たちが自国の経済難局を認めたくない中国政府に〝迎合〟して発した無責任なお世辞《せじ》言葉であろう。こんな台詞を日本の経済団体の最高幹部たちが口にしたとは……。

言ってみれば、日本の経済団体の偉いさんたちは北京まで足を運び、中国政府に馬鹿にされて要求を一蹴された。それでいて習近平政権の幇間《ほうかん》役（タイコ持ち）を喜んで務め、媚びの限りを尽くして帰国の途に就いた。

まさに馬鹿馬鹿しくて情けない限りである。

第8章

再開された反腐敗闘争

習近平が陥った果てしない自転車操業

5年前に行われた勝利宣言を撤回

本年1月8日、中国共産党は腐敗や汚職の摘発を担う中央規律検査委員会全体会議を開き、習近平総書記が「重要講話」を行った。

そのなかで習総書記は国内の腐敗問題について「依然として深刻で複雑だ」との厳しい現状認識を示した上、〝持久戦〟という新たな言葉を持ち出して、「汚職問題を生み出す土壌を明確に理解し、粘り強く努力し、反腐敗の長い闘争に断固として勝利しなければならない」と語った。それは明らかに、新年早々、習近平による事実上の「反腐敗持久戦展開」の大号令であった。

2012年11月の第18回の党大会で習近平が総書記に選出されて以来、「反腐敗闘争の推進」は終始一貫して習政権の一枚看板であり続けた。ところがここに来て、習近平は再び反腐敗闘争の重要性を強調し、持久戦の展開を呼びかけるのは、一体どういう狙いなのか。

実は2018年12月の段階で、習総書記は中央政治局会議で自ら「反腐敗闘争は圧倒的な勝利を収めた」と「勝利宣言」を行った。それ以来、共産党の公式書面では「反腐敗の圧倒的な勝利」という謳《うた》い文句が定着、習近平政権と習総書記本人の「偉大なる業績」として大いに吹聴されていた。

それから5年も経った2024年初頭、習総書記自身は前掲のごとく「腐敗は依然として深刻で複雑だ」との認識を示した。このことは事実上、それまでの圧倒的勝利は〝誤り〟であったと自ら暴き、自身の業績を〝否定〟することになった。それを百も承知の上で再び「反腐敗」の旗印を高らかに掲げることになったのは一体なぜなのか？

その謎解きのためには、いま一度、習近平政権になってからの「反腐敗闘争」の実態と軌跡、そして習近平自身にとって反腐敗闘争の持つ意味を考えておく必要がある。

お役御免となった反腐敗運動の主役を務めた王岐山

まずは2012年11月から2017年秋までの習近平政権一期目の5年間、習近平は当時の政治盟友の王岐山《おうきざん》を政治局常務委員・中央規律検査委員会書記に任命し、習・王コンビで凄まじい反腐敗闘争を展開した。これは読者諸氏も知ってのとおりである。

その間、約25万６０００人が摘発され処分を受けた。そのうち元政治局常務委員の周永《しゅうえい》康《こう》や元軍事委員会副主席の郭伯雄《かくはくゆう》などを含めた最高級幹部４４０名、高級幹部８９００名が粛清された。

結果的に習近平は、腐敗摘発を党内粛清の武器として使い、これをもって〝政敵〟を潰していった。その一方、「こちらの言うことを聞かなかったら、お前の腐敗を摘発するぞ」と党幹部全員に睨《にら》みを利かせた。このような手法で習近平は政権一期目の5年間で権力基盤を固め、個人独裁体制への確立に向かい大きく前進した。

しかし２０１７年秋の党大会で政権が2期目に入ると、習近平はまず〝用済み〟の盟友王岐山を政治局常務委員会から追い出し、反腐敗闘争に〝区切り〟をつけた。２０１８年12月にはさらに、前述した「反腐敗闘争の勝利宣言」を自ら行った。

この時点において、大掛かりな反腐敗運動による権力基盤固めという当初からの目的を果たせたと、習近平は〝判断〟したのであろう。これ以上反腐敗闘争を大々的に展開していくと、逆に幹部たちの「習近平憎し」や「習近平離れ」を招く恐れがあることから、「このあたりで手を緩めよう」ということではなかったか。

以来、習政権の反腐敗闘争は、軽量級の中央規律検査委員会書記・趙楽際《ちょうらくさい》の指揮下で、日常的な活動として、より事務的かつ〝温和的〟に進められてきた。

そして昨年10月の党大会で習近平個人独裁体制が完全に確立され、中国共産党全体がまさに「習近平党」となってくると、反腐敗闘争は党内権力闘争の道具としての意味が薄れ、勢いをさらに失ってきていた。

装備腐敗が潰した台湾併合の野望

しかし前述のように本年年頭、習近平はいまさらのように再び反腐敗闘争の看板を高く掲げ、持久戦の展開まで呼びかけた。それは、彼にとり反腐敗闘争の持つ意味に大きな変化が起きたことと、反腐敗が未曾有の新たな〝局面〟を迎えることを意味するのだと、筆者は考察する次第である。

習政権による政敵潰し、権力基盤固めのためのご都合主義の反腐敗闘争が一段と下火になると、その反動として腐敗が以前よりも一層広がり、共産党政権全体にとって「死に至る不治の病」となっていると、習近平は捉えたのであろう。

一方、中国経済は崩壊しつつあり、若者世代を中心に大量失業が広がり、国民の不平不満は日々高まっている。国内はいつ爆発してもおかしくない危機的状況となりつつある。爆発寸前の不満〝転嫁〟をするための台湾侵攻が、軍の装備腐敗により事実上不可能となった。習近平政権は危機打開の最有効手段の一つを失ったのである。

こうした八方塞《ふさ》がりの状況下、習近平としては、国民の不平不満を緩和させ、人々の視線を深刻な経済問題などからそらすためには、再び「反腐敗闘争」の狼煙を上げるほかなかったと、筆者は確信する次第である。

いわゆる〝水戸黄門式〟の反腐敗大劇場を国民の前で大々的に、しかも持続的に演じて見せるしかない。習近平はそう思い至った。

しかし反腐敗闘争がいったん限定的な党内闘争の手段から国民一般向けの〝サーカス〟へと変質していくと、その闘争の範囲は以前よりもさらに拡大していく可能性もあれば、いつになっても収拾する目処《めど》の立たない長期戦になっていくと予想される。

習近平が今後、党内幹部の普遍的腐敗を相手に、果てしない〝自転車操業〟の反腐敗闘争を持久戦としてずるずると展開していく可能性は大であろう。これで習近平独裁下の中国共産党政権はまさに出口のない「腐敗VS反腐敗の蟻地獄」へと陥っていくことになろう。

それにより習政権がエネルギーを対国内闘争に注いで使い果たし、対外的爆発が避けられるのであれば、周辺国と世界全体にとってはむしろ朗報だ。

習近平の反腐敗持久戦に大きな声援を送ろう！

摘発のメインターゲットとなる民間企業

本年1月8日、中国共産党が中央規律検査委員会の全体会議を開き、習総書記が「反腐敗闘争持久戦」の展開を呼び掛けたと先に記した。加えて習近平は今後の腐敗摘発の具体的な方針を示した。

「利益集団（民間企業）が政治領域に入り込むことを断固として阻止すべきである。政・商が結託する腐敗に対する厳罰を戦いの重点中の重点とする。特に金融・エネルギー・医薬・インフラ建設などの領域、そして国有企業における腐敗を深く追及していかなければならない」

政・商結託や国有企業を舞台とする腐敗摘発を重点とする方針を、彼は明確に述べた。その意味するところはすなわち、今後の腐敗摘発は党幹部に対してのみならず、幹部と結託する「商」と、権力を利用する「資本」にもその矛先を向けると宣言したわけである。

しかしこれでは今後の反腐敗闘争において、多くの民間企業やその経営者たちが摘発の標的となるのは必至となろう。その結果、民間企業は一層萎縮し、経済活動の展開にはより消極的になろう。

その一方、各級政府の幹部たちも企業に対する支援やテコ入れを極力避けることになるから、それらはすべて経済への悪影響としてはね返ってくるのは必至だ。

さらに、習総書記は「金融・エネルギー・医薬・インフラ建設」などの産業分野を腐敗摘発の〝重点領域〟に指定したけれど、それらの大半は、中国経済を支える重要な産業分野であることは言うまでもない。

今後、反腐敗摘発の手が及んでくると、それらの産業分野での大混乱が起きてくるのは火を見るより明らかである。それは中国経済全体のさらなる沈没に拍車をかけるに違いない。

人民武装部設立ラッシュの背景

1951年に誕生した民兵組織

昨年9月28日、上海城投（都市建設投資）集団が、人民武装部を設立・発足させたことが国内外で注目され、日本でも一部メディアが報じた。

中国各地で活動している「城投集団」とは、政府直轄の官営投資機構として各都市部の不動産投資を主導する役割を果たしている。上海城投集団における人民武装部設立の狙いは、不動産バブルの崩壊にともなう債権取立て、さまざまな騒乱・暴動に対処するための措置であろうと思われる。

しかしその一方、不動産とは関係のない多くの国有企業においても、人民武装部設立の動きが相次いでいる。例えば昨年4月、広東省東莞市に東莞交投集団・東莞能源（エネルギー）集団など四つの国有企業で人民武装部が設立された。5月には内モンゴルで乳業を展開する蒙牛集団で人民武装部が設立、8月には武漢農業集団で人民武装部設立、といった具合だ。

順序が逆になったが、一昨年から各大学、政府機関においても人民武装部設立の動きが始まった。例えば、寧夏自治区では一昨年、北方民族大学や寧夏大学で人民武装部が設立された。政府機関のほうでは、一昨年11月に福建省長汀県の長汀開発区に、昨年5月に貴州省興義県供電局に人民武装部が設立された。

このように国有企業、大学、政府部門などで、人民武装部の設立が一気に展開されているわけである。習近平政権の狙いは何なのか？

ここでは人民武装部の歴史を振り返ってみよう。共産党政権成立直後の1951年に、政権はまず各県と各市の行政区において人民武装部を設立した。これは「人民戦争＝国民皆兵」という理念の下、地方党組織と人民解放軍の二重指導下で民兵の組織化・訓練・運用を司る部門であることがうかがえる。

そして1961年から政権は、人民公社・大手および中堅国営企業、大学などで人民武装部を設立した。人民武装部すなわち民兵の活用の二大任務とは、対外戦争への動員・実戦参戦と対内鎮圧とされた。

実際、1976年4月に北京で10万人単位の民衆が天安門広場に集まって抗議運動を起こした際（第一次天安門事件）、北京の各国営大企業所属の工人民兵（労働者民兵）約1万人が動員され、抗議活動参加の民衆に対する血の鎮圧を実施した。

一方、民兵が対外戦争に動員された実例はこれまで皆無である。国内鎮圧こそが民兵の本当の任務であったと思われる。

しかし、1980年代からの改革開放の本格化により人民公社が〝解体〟に向かうと、農村地域での人民武装部は消滅、農民民兵は解散した。さらに国営企業の改革（株式化・市場化）にともない、企業における人民武装部と労働者民兵は退役となった。

県・行政府における人民武装部は組織として残ったものの、民兵組織が事実上消滅したことから、人民武装部に残された仕事は国防宣伝や解放軍兵士募集の補助などに限られた。

こうしたなか、1989年6月に発生した第二次天安門事件に際し、民主化を求める若者たちへの血の鎮圧に動員されたのは、正規の解放軍部隊であった。民兵組織が事実上消滅したことで、国内鎮圧についても、国防が〝本来〟の任務である解放軍を頼りにするしかなかったのだ。

武装警察の対応能力を超えた大動乱の発生を睨む習政権

第二次天安門事件後、武装警察部隊の整備が本格化され、以来、武装警察が国内鎮圧および政権防衛の主力部隊となってきた。しかし前述のように、昨年から国有企業や大学などで人民武装部成立の動きが広がり、現在に至っている。その狙いは何であろうか？

習近平政権がたくらむ台湾併合戦争や、それにともない起きるかもしれない米中衝突、米中戦争には、国内の民兵組織がほとんど役に立たないのは自明だ。すでに国内鎮圧の武装警察部隊が機能している状況下において、人民武装部の設立、民兵組織の再建は何のためなのか？

そこで考えられる可能性の一つは以下のものだ。習政権が人民武装部の設立、民兵組織の再建にあたり想定しているのは、国内において武装警察の対応能力を超える〝全国規模〟の大動乱の発生ではないのか。筆者はそう睨んでいる。

中国経済が崩壊し大リストラの時代に入ったことから、一般の労働者、特に若年層の失業率は史上最高水準に達している。数千万人単位の大学生は「卒業すなわち失業」という絶望的な状況下に置かれている。そんななか、何かの突発事件がきっかけとなり、全国規模の大動乱が発生、燎原《りょうげん》の炎のごとく広がるという未曾有のリスクに習政権は直面しているといえる。

このような極限的な状況の発生に対し、武装警察だけではもはや対処できなくなる可能性は十分にあると思われる。

一方、解放軍は台湾侵攻や米国や周辺国との軍事的対峙に備えるのに精一杯である。そうなると、各地方行政区や国有企業や大学に設立されている人民武装部とその指揮下の民兵組織は、国内動乱の鎮圧の〝主力〟となることを政権から期待されていると考えられる。民兵を用いて国内動乱への鎮圧にあたらせるこのやり方は、前著『やっぱり中国経済大崩壊！』で取り上げた「楓橋経験」と一脈通じるのだ。楓橋経験とは、民衆を使って民衆を監視、抑圧するものであるが、人民武装部設立と民兵組織再建の意図はずばり、民衆を使って民衆を鎮圧することにあろう。

その一方、習政権は全国規模の大動乱の発生に備え、人民武装部および民兵の再建を急いでいること自体、まさに中国が大動乱の時代へ突入していくことの前兆であろう。「天下大乱」の時代が訪れようとしている。

COLUMN

日本人の合言葉になる「中国から離れよう」

昨年12月22日までの数日間、国家安全部（省）の陳一新部長は地方の国家安全局を視察して回り、地方の国家安全要員たちを相手に「2024年の抱負」を大いに語ったと多数メディアに報じられた。

そのなかで彼は、2024年の国家安全工作に関して、「反スパイ・反分裂・反テロ・反転覆の重大なる現実闘争を深く展開していく」との活動方針を示した。

ここでいう反転覆の転覆とは当然ながら、政権の転覆を図る国内外の反対運動を指している。その一方、中国共産党の特別用語としての反分裂とは、香港の民主化や台湾の独立を主張する考え方や政治運動に対する封じ込めを意味する。そして反テロはもっぱら、新《しん》疆《きょう》地区のウイグル人たちの民族運動に対する弾圧を指している。

しかしながら、これらは中国の秘密警察による「大弾圧・大粛清運動」の展開宣言であることに他ならない。本年の中国は例年に増して秘密警察が跋扈する抑圧と恐怖の世界になっていくことが予想される。

陳部長が掲げた前述の工作方針には「反スパイ闘争の深い展開」も含まれていることから、本年においては、日本人を含めた外国人に対する「スパイ摘発」が一層活発となっていくことが考えられる。

日本企業と日本人はこれから、中国という世界一の危険地帯からの脱出を真剣に考えなければならない。「中国から離れよう」、「中国に近付くな」が日本人の合言葉となるべき時代である。

第9章

習近平の疑心暗鬼
側近すら信用できぬ

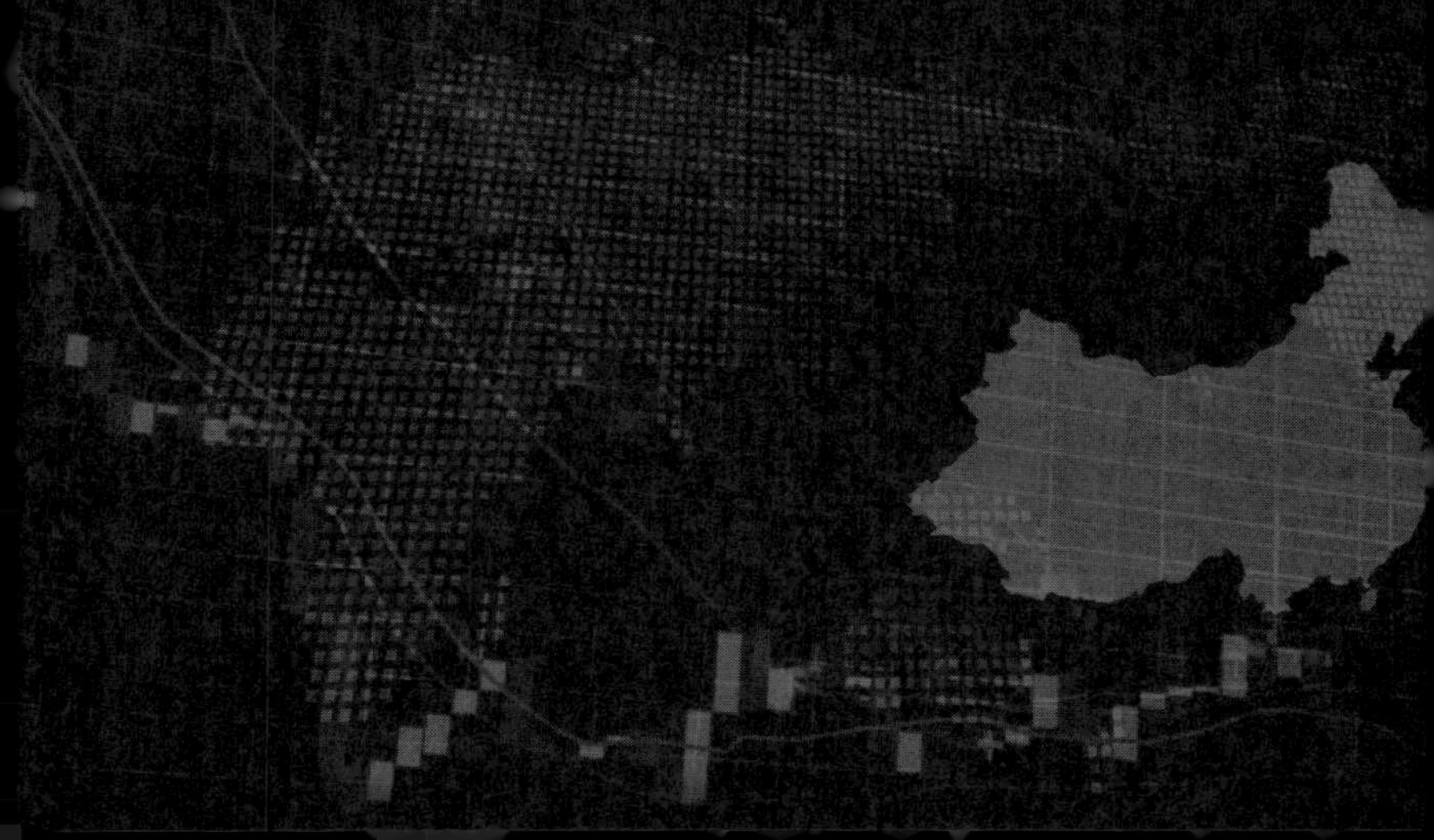

崩れた共産党政権の不文律

両トップの北京不在が繰り返される謎

かねてより中国共産党には政権運営に関する暗黙のルールが存在していた。政権ナンバー1が外遊する際、ナンバー2は北京にいてその留守を預かる。また、国家主席と首相の両雄が同時に北京から離れるようなことはしない。これらは共産党組織に根差した〝不文律〟として機能してきた。

それは当然、万が一の不測な事態の発生に備えての措置であるからだ。一朝何かが起きた場合、ナンバー1とナンバー2のどちらかが北京の政権中枢に〝鎮座〟していなければならない。

これまでの歴代政権はおおむねこの慣例にしたがいトップクラスの指導者たちの日程を組んできたのだが、昨夏あたりから異変が生じてきている。政権ナンバー1、国家主席の習近平が外遊に出かける際、それに合わせたかのような形で政権ナンバー2であるはずの李強首相があえて北京を離れることが〝新慣例〟となっている模様だからだ。

その実例を時系列で見てみよう。

まずは昨年8月22日から24日まで、習近平主席は南アフリカを訪問し、国際会議に参加した。同じ22日から24日まで、李強首相は北京を離れて広東省を視察した。

続いて11月14日から18日まで、習主席はサンフランシスコを訪問して米中首脳会談を行い、APEC首脳会議にも出席した。一方の李首相は14日から16日までに黒竜江省など東北地方を視察した。習主席より早く北京に戻ってきたとはいえ、両トップの北京同時不在は3日間にも及んだ。

12月12日から13日、習主席は北京から離れてベトナムを訪問した。李首相は12日には習主席が中座した「中央経済工作会議」に出席したが、13日からは早速四川省視察に出かけた。両トップが同時に北京を留守にする状況が再び起きたのであった。

このように昨年8月から習主席が以上のように3回にわたり外遊し、李首相はそれに合わせたかのように北京を留守にし、不急であるはずの地方視察に出かけた。これは極めて異例にして異常な事態であろう。

北朝鮮のトップと真逆の習主席の行動

本来なら側近のナンバー2として国家主席の北京不在を預かる立場の李氏が、自らの判断で留守番役を〝放棄〟して意図的に北京から離れたとは考えにくい。結局、李首相は習主席の意向により北京から離れたとしか思えないが、もしそうであれば、その意味するところは何か?

習主席が側近の李首相を本心ではまったく信用していないからに他ならない。彼の北京不在中に、李首相が政権ナンバー2の立場を利用して彼の立場を脅かすような、あるいは不利をもたらすような政治活動を行うことを警戒していると思われる。

昨年9月にG20がインドで開催された際、それまで毎年G20に必ず出席してきた習主席が異例の欠席をし、李首相を代理出席させたのは同じ理由であろうとも考えられる。

そしてそのことはまた、習主席が自らの政権掌握にいまだに自信を抱いていないことを意味し、側近すら信用しない重度な〝疑心暗鬼〟に陥っていることを示している。それは政権のナンバー2やナンバー3を平壌に残して長期間の外遊に平気で出かける北朝鮮の独裁者とは好対照でもある。

昨年12月18日、習主席は北京にて、香港行政長官による年に一度の職務報告を聴取したと新華社通信・人民日報が報じた。そのときに李首相も同席したものの、聴取者はあくまでも習主席であって李首相ではなかった。

それまでは香港行政長官の職務報告はまず国務院総理＝首相が聴取してから国家主席が聴取するのが慣例であった。ところが、昨年李強氏が首相になると、単独で香港行政長官の報告を聞く権限を習主席に取り上げられてしまった。習主席の李首相に対する警戒・押さえ込みはもはや露骨にして極端、異常と言えよう。

世界の政治史において、部下の使い方に関しておおむね三つのタイプの権力者・独裁者がいると思われる。

①賢明な権力者・独裁者の場合、政権運営にとって有用な人間であれば、本心では信頼できない人物であっても部下として使いこなす。

②平凡な権力者・独裁者は、有能・無能はともかく信頼できる側近を部下に使う。

③側近しか部下に使わないが、その側近ですら信頼して仕事を任せることもできない。

この③が習近平であり、まさに平凡以下の愚かな独裁者そのものである。

もちろんそれでは今後の習近平政権はきちんとした政権運営ができるはずもない。何をやってもうまくいかずに堕ちるところまで堕ちていくだけであろう。

合計100条に及ぶ支援措置にそっぽを向いた民間企業経営者

中身のない空疎なスローガンの羅列

昨年11月27日、中国人民銀行（中央銀行）、国家金融監督管理総局、財政部（省）、工業部（省）と情報化部（省）など8つの中央官庁・準中央官庁が連名で、「金融支援措置を強化し、民間経済の発展と成長を促すための通知」を公布した。

同通知は民間企業に対する金融支援の拡大を柱とする「25条の支援措置」を打ち出し、民間経済の振興を全面的サポートするというものだ。しかしながら、実際には昨年8月あたりから、中央政府の一部の関係部門は立て続けに民間経済振興のための支援措置を打ち出していた。

まずは昨年8月1日、経済・社会政策の研究、経済のマクロ調整などを行う国家発展改革委員会は「民間経済促進のための若干措置の実施に関する通知」を伝達、民間企業を支援するための「28条措置」の迅速な実施を発表した。続いて9月22日、今度は国家市場監督・管理総局が「市場管理部門による民間経済発展促進の若干措置」を発表し、「22条促進措置」を打ち出した。

そして10月24日には、本来ならば国家の経済運営に無関係であるはずの最高人民検察院（最高検）が、「検察機能を全面的に履行し民間経済発展を推進するための最高検見解」を発表した。「民間企業の正当なる権益」を守ることを主旨とする「23条意見」（すなわち政策措置）が発出された。

さらに11月19日、国家税務局は「民間経済発展支持のための若干措置の実施に関する通知」を公表、26条からなる「支持措置」の実施を宣言した。

このような一連の支援措置の延長線上に、冒頭に示した「8つの官庁による25条措置」が11月末に発表されたわけであった。

この経緯からはまず、中国の民間経済がかなり深刻な状況下に置かれていることが認識できよう。状況がにっちもさっちも行かないほど深刻化しているからこそ、8月から各官庁は習政権の号令下、「28条支援措置」、「22条促進措置」、「23条支援意見」、「26条支持措置」等々、合わせて約100条の支援措置を乱発してきた。

しかしその一方、これまでに発表・実施されてきた数多くの支持措置はあまり効果を上げてこなかったことが推察できる。昨年8月から各官庁が個別に打ち出した「支援・支持措置」があまり効かなかったことから、11月末になると、前述の8つの中央官庁が一斉に動き出し、切り札としての「25条の支援措置」を共同で打ち出したのだから。

しかしながら、この中央官庁総動員の民間経済救援策が何らかの効力を持つのかといえば、まったくの期待薄であろう。上述の100条以上の「支援措置」の具体的内容を一つひとつ点検してみると、その大半が中身のない〝空疎《くうそ》〟なスローガンレベルのものであることがよく分かるからである。

実際、前述の8つの中央官庁が「25条の支援措置」を大々的に発表したことに対し、中国の株式市場はほとんど〝反応〟を見せなかった。民間企業の経営者たちからも「歓迎」の声は一切上がってきていない。

ことになろう。

中央政府の乾坤一擲《けんこんいってき》の「民間経済振興策」はおそらく、ただの空振りに終わってしまうことになろう。

これまで「毛沢東回帰」の政治路線を推し進めて民営企業を散々いじめ抜いてきた習近平政権が、いまさら「民間経済を救う」と動き出してももはや後の祭り。中国の民間経済は潰れるべくして潰れていくことになろう。

そしてこの一件からも分かるように、現在の習近平政権は、中国経済を救うのに意味のない救済措置を乱発する以外にほとんど無為無策の状態にある。その一方、政権のあまりにも荒唐無稽《こうとうむけい》な有為は逆に、中国の経済危機を深めることになりそうだ。

二つの金融指導機関が存在する珍奇なる状況

昨年11月6日、共産党政治局員・国務院副総理の何立峰氏は「中央金融工作委員会書記」の肩書で同委員会の会議を主宰し講話を行った。このアクションにより彼が昨年復活した同委員会の書記=トップに就任したことが判明した。

中央金融工作委員会とは、党中央が金融全般を管理・指導するための党機関である。1

998年に設立され、国務院総理（首相）がそのトップを兼任するのが当時の慣例であった。同委員会は2003年にいったん撤廃されたのだが、2023年3月から復活・再建のプロセスに入った。

復活した新たな委員会のトップを誰が務めるのかは当初から注目されていた。結果は前述のように、委員会の書記には昔の慣例による首相ではなく、副首相の何氏が就任した。

この人事により、現役首相の李強氏が肝心な金融工作から外されるのではないかとの憶測が流れた。だが、それは李強氏が否定した。

昨年11月20日、李強氏は「中央金融委員会主任」の肩書で当委員会の会議を主宰し講話を行った。これで李首相が前述の「中央金融工作委員会」とは別の「中央金融委員会」のトップに収まっていることが判明したのだ。

中央金融委員会は中央金融工作委員会の復活と同時に、昨年3月に誕生した機関。これもまた、金融を指導するための党の中央機関である。現在、党中央においては金融指導行う二つの機関が〝並立〟するという前代未聞の状態となっている。

結局は古参部下を重用した習近平

呆れたことに、この二つの党中央機関に関する仕事の分担・権限のすみ分けはまったく不明瞭である。上下関係があるのでもなく、同じ党機関としてほぼ対等の立場にある。中央金融工作委員会書記の何立峰氏は国務院では李強首相の部下の立場（副首相）であるが、金融工作の分野では李首相と対等の立場で同じ権限を有していると思われる。

つまり同じ金融分野の政治指導において、二つの司令塔が並び立つ異常事態が生じているわけである。両者の間の主導権争い・縄張り争いが起きてくるのは必至であろう。金融の現場も結局、二つの司令塔の間で右往左往して大混乱に陥っていくことは避けられない。党中央において金融指導の役割を担う機関を二つ設置し、首相と副首相をそれぞれのトップに配するとは、いかにも行政と組織運営の常識にうとい習近平らしい〝頓珍漢人事〟と言える。

なぜこのような馬鹿げた人事になってしまったのか？

結局、習近平は、子分であるはずの李強首相を完全に信用できず、いわゆる浙江組の李首相よりも〝古参部下〟である福建組の何氏を重用したのだ。

バカ殿習近平は、李・何の二頭体制で経済の心臓部門である金融の指導に当たらせようとしている。だが、このような頓珍漢人事の下、金融行政が両氏による主導権争いの〝戦場〟と化したことで大混乱に陥る可能性が否応なく高まろう。不動産バブルの崩壊や国内の深刻な債務危機で、ただでさえ危険水域に入っている中国の金融はますます落下速度を増していく。

これでは中国経済全体は今後、落ちるところまで落ちていくしかない。どうやら習政権は、中国経済を潰さないと気が済まないようである。

習近平政権内の勝ち組となった福建組

李強首相の留守中に開催された最高国務会議

本年1月16日、中国共産党中央党校の「省・部級主要幹部の金融発展推進学習班始業式」が北京にて開催された。同始業式に出席した習近平主席は重要講話を行った。

翌日の人民日報の発表によると、習近平主席以下、6名の中央政治局常務委員と政治局委員、全人代副委員長、国務委員、政治協商会議副主席、最高裁判所裁判長、最高検察院院長、中央軍事委員会委員らがそろって出席した。このような会議は、いわば金融問題の範囲をはるかに超えており、まさに政権挙げての「最高国務会議」の様相を呈しているといえよう。

しかしながら、この最高レベルの重要会議に、本来なら一番出席すべき人物の姿がなかった。政治局常務委員・国務院総理（首相）の李強氏であった。金融をテーマとする最高国務会議に首相が出席しないのは普段ではあり得ない。

李強氏の日程を調べてみると、彼は本年1月14日から公式訪問および国際会議参加のためスイスを訪れており、16日当日もスイス滞在。それが重要会議欠席の表向きの理由であった。

だがよく考えてみれば、前述の金融発展推進学習班始業式は重要ではあるとはいえ緊急性のない会合だから、李氏がスイス訪問の前に開くこともできるし、彼の帰国後で開くのも可能である。結局のところ、李強首相の出席すべき会議が彼の留守中に開催されたことはむしろ、最初から李首相を外しておきたい前提で開催されたのではないか。

むろん、李首相の留守中のタイミングを選んで重要会議開催日程を決めたのは習近平主席であるはず。つまり習主席が、自らの腹心の李首相を政権挙げての最高会議から意図的に外したとしか解釈しようがない。

首相の縄張りを侵食した習近平

実は、習主席が李首相を金融関係の重要行動から外したことは以前にもあった。

昨年10月24日、習主席は何立峰政治局員・副首相の随行で中国人民銀行（中央銀行）と外貨管理局を訪問したときも、李強首相はその場にいなかった。

人民銀行と外貨管理局の双方は、中央政府である国務院下の所属機関だ。その双方のトップは国務院総理、すなわち首相である。したがって通常、人民銀行や外貨管理局を訪れて現場指導を行ったりするのは、当然ながら首相ということになる。

さすがの共産党政権下でも、国家主席が首相管轄下の部門に直接タッチしないのは、かねてよりの暗黙のルールであり、慣例であった。

したがって習主席による前述の人民銀行・外貨管理局訪問は、それまでのルールを破った異例な行動であった。首相の李強氏が習主席の訪問に随行しなかったことは、さらに異様といえた。李首相は人民銀行・外貨管理局の管轄責任者であるから、主席の両部門訪問・視察に立ち会うのは通例である。李首相が習主席の側近中の側近であれば尚更であろう。

そのときの李首相の活動日程を調べると、彼は10月24日の午後に外国訪問のために北京から出発していた。逆に言えば、習主席は故意に李首相が北京を離れた日を選んで、李首相の〝縄張り〟である人民銀行・外貨管理局を訪問し、露骨な「李首相外し」を行った。

結局、習主席は昨年10月の中央銀行訪問に続いて、前述の今年1月16日の金融関連重要会議からも李首相を外した。しかも両方とも李首相の外遊を狙っての切り捨てであって、手口はまったく同様である。

その意味するところはすなわち、中国経済の心臓部門である金融の管理に関して、習主席は側近の李首相をもはや信頼に足り得ない。そうした判断に至ったことに他ならない。李首相を排除した形で、来たるべき金融危機などへの対応に自ら乗り出したわけである。

浙江・上海組を駆逐した福建組

1月16日の金融学習班始業式でもう一つ注目すべきポイントは、式典の司会を務めて総括講話を行ったのが習主席一番の腹心である政治局常務委員・蔡奇氏であったことだった。

本来、政権内における蔡氏の仕事の担当は党務・イデオロギーで、金融管理を含めた経済運営は管轄範囲外である。外された李首相の代わりに、蔡氏が同学習班始業式の司会を引き受け、総括講話まで行ったのはやはり尋常ではない。

そして1月19日、同学習班の終業式には、今度は蔡氏が中心人物となって出席し、再び総括講話を行った。その日、首相の李氏はすでに外遊から帰国・帰京したにもかかわらず、やはりその場には呼ばれていなかった。

李首相は、本来ならばその重要職務の一つである金融管理から完全に外された格好だ。代わりに、蔡氏が党中央宣伝部長や公安局長などをしたがえて終業式に臨み総括講話を行い、その模様が翌日の人民日報一面に大きく掲載された。

蔡氏は名目上党内序列第5位とはいえ、実際には序列第2位の李首相を圧倒し、経済の運営にも触手を伸ばしてきている。蔡氏こそは習政権の一番の〝権臣〟だと、人民日報はアピールした。

既述したとおり、昨年10月の習主席の人民銀行訪問に随行したのは何立峰政治局員・副首相であった。そして昨年11月には何氏は「中央金融工作委員会」の書記に任命され、政権における金融管理のキーマンに抜擢された。

実はこの何氏は蔡氏と同様、習主席が福建省で勤務した時代の古参部下、習氏によって中央に抜擢され大出世した側近の一人である。その一方、本書で先にも触れたが、首相の李氏は習主席が福建省から浙江省に転任してからの部下であり、習主席の腹心となった時期は蔡氏たちよりは遅い。

こうしてみると、蔡氏と何氏が中心となる習近平側近集団のうち「福建組」はいま、首相の李氏を筆頭とする「浙江・上海組」を凌駕《りょうが》している。蔡氏はいまや党務を牛耳る一方、同じ福建組の何氏を使って経済運営の要である金融管理の権限も手に入れた。

このままでは、経済運営に関する李強首相の実権は蔡奇氏と何立峰氏により奪取され、失脚しなくても徹底的に干されるのは確実な状況と思われる。

結局のところ、一番権臣の蔡氏は同じ習近平側近集団の浙江・上海組を追い出して、自分たち福建組で権力の中枢を固めようとする魂胆《こんたん》なのであろう。

だが、そこから激しい権力闘争が習近平側近集団のなかで起きてしまい、それが習政権の内部分裂を招きかねないのである。

去勢された中央人民政府

最大の晴れ舞台の場を奪われた李強首相

ここでは本年の全人代について記しておこう。

3月4日、翌日開幕の全人代に関する注目の発表がなされた。これまで恒例となっていた全人代閉幕直後の首相記者会見が今回は行われないことと、今後数年間は見送られることが発表された。

この全人代閉幕直後の首相記者会見は1993年から昨年までの31年間、1度も中断することなく継続されてきた。それは中国の首相（国務院総理）が国内外に向かって中央政府の諸政策を自らの言葉で語るほとんど唯一の機会である。同時に、内外の記者が直接質問をぶつける唯一のチャンスでもある。

そういう意味では、全人代にともなう首相の記者会見は中国の改革開放時代の象徴的場面であって、首相自身にとっても最大の〝晴れ舞台〟と言っていい。

それが突如廃止されたことは、筆者がずっと指摘し本書においても記してきた習近平主席による「李強首相外し、李強首相いじめ」の一環に他ならない。同時に、中国の政治はより一層閉鎖された毛沢東時代へと〝逆戻り〟していることの現れでもある。

実は習近平政権下で起きている大きな政治上の地殻変動が存在する。それは国務院と国務院総理（首相）の位置付けと役割の矮小化《わいしょう》である。中国の憲法上、国務院は一応「中央政府」と位置付けられ、全人代の下では国家の最高行政機関としての役割を与えられている。

毛沢東時代から直近の胡錦濤政権時代まで、国務院と国務院総理は特に経済運営の面では、ある程度の独自性と自律性を持つことで、最高行政機関として国家の運営にあたってきた。

例えば毛沢東時代の周恩来首相は、毛沢東の独裁政治下でも、経済・民生など国の運営にはかなり大きな裁量権を持ち、一定の主導権を発揮できた。あるいは胡錦濤政権下では、温家宝首相は自ら中央財経委員会主任を〝兼任〟して、経済運営の意思決定権をほぼ手中に収めていた。

そして状況が大きく変わったのが、現在の習近平政権であった。習政権の第1、2期目においては、党総書記・国家主席の習氏は自ら中央財経委員会主任に就任、当時の李克強首相から経済運営の主導権を徐々に奪っていった。

そして昨年3月の全人代で李強氏が新たな首相になると、誰もが知っている「首相が主席の子分」という前代未聞の人事が行われた。これは中国共産党の歴史上初めてのことであった。

温家宝は胡錦濤の部下ではあったけれど、決して胡錦濤の子分ではなかった。江沢民政権時代には朱鎔基という首相がいて、国家主席を務めた江沢民よりもはるかに優秀で、彼が江沢民の子分だなどとは誰も思わなかった。周恩来も毛沢東を支えたとはいえ、毛沢東の子分ではないことを誰もが認識していた。

共産党中央の下請け機関に格下げされた国務院

筆者が言いたいのは、習近平の子分が首相になったことで、国務院総理と国務院全体がますます独自性を失っていくことである。

本書まえがきにも記したが、例えば本年2月23日、中国共産党中央財経委員会は習近平総書記の主催で全体会議を開催し、①大規模な企業設備更新の推進、②消費財の買い替えの推進、③物流コストの低減を三本柱とする「経済振興策」を打ち出した。

これはよく考えてみれば、上述のような具体的な経済振興策を討議し決定するのは、本来ならば中央政府としての国務院の〝仕事〟であり、首相の守備範囲であるはずだ。つまり、李強総理担当の仕事といえる。

このレベルの経済政策が国務院でなく、習氏を主任とする財経委員会から打ち出されたことは、要は国務院と国務院総理は政策決定権を完全に失い、単なる財経委員会の執行機関に成り下がったことを意味する。

そして今回の全人代で首相の記者会見廃止と並び、もう一つ大変注目すべき動きは、1982年12月以来40年以上も施行されてきている「国務院組織法」に対し、今回の全人代で修訂草案が出され、審議されたことだ。

3月5日、全人代副委員長の李鴻忠《りこうちゅう》氏は修訂草案に対する内容説明を行った。彼の説明は次のとおりである。

「今回の修訂法案には、いままでにない一つの規定が付け加えられた。国務院は中国共産党の指導を堅持し、党中央の権威を擁護し、党中央による集中的党指導に従わなければならないことだ」

それによって国務院が単なる共産党中央の下請け機関であることは、法的においてより一層明確にされ、中央人民政府は名実ともに〝去勢〟されるのは確実になった。

これからは国務院は単なる党中央の御用機関、首相は単なる実権のないイエスマン番頭。党があって中央政府が消えてしまったという、とんでもない時代がやってくる。

COLUMN

凋落ぶりがはなはだしい一帯一路サミット参加者の顔ぶれ

中国・習近平主席が提唱、主導してきた「一帯一路」構想が発表されてから、本年で11年目を迎えた。

この稀有壮大なる構想の進捗状況に関して、まずはその中核を握るAIIB（アジアインフラ投資銀行）の実績をチェックしてみる必要がある。開業してからの投融資の累計総額は昨年5月時点で412億ドル（約5・7兆円、承認ベース）と当初想定の5割強にとどまる。

それに比べると、例えば日本の大手金融機関である三井住友銀行の貸出金総額は94・3兆円（２０２３年末）となっている。単純比較で見ると、ＡＩＩＢの融資規模は日本のメガバンクの６％に過ぎず、かなり貧弱なものと言えなくもない。

また、昨年10月18日付の産経新聞が報じたところによると、中国から発展途上国への融資は２０１８年に過去最高を記録してから大きく減少している。２０２１年は約１５０億ドルと、ピーク時の４割程度にまで減った。

こうした一連の数字から見ても、始動当時から鳴り物入りの一帯一路構想は、結果的には大きな期待外れで、すでに下火になっていることが明確である。

昨年10月17日から2日間、「第3回一帯一路国際協力サミットフォーラム」が北京にて開催された。習主席からの招待で関係国の首脳が一堂に集まった。

昨年は習主席肝煎《きもい》りの一帯一路構想が発表されて10年目という節目の年であった。習主席としてはこのサミットの開催をもって過去10年間の素晴らしい成果を誇示し、輝かしい未来へ向けて大盛会にしたかったであろう。しかしながら実際のところ、サミット開催は逆に一帯一路の凋落ぶりを〝浮き彫り〟にすることになった。

まずは、これまで過去3回開かれた一帯一路サミットに大統領や首相などの首脳級が参加した国々の数の変化を見てみよう。

２０１７年第１回サミットに参加したのは28ヵ国。２０１９年の第２回サミットに参加したのが39ヵ国。そして昨年の３回目サミットはどうだったのかというと、中国政府から首脳参加国数が発表されなかったのである。

人民日報などが報じたサミットにあたっての首脳会談のニュースを筆者がチェックしてみたところ、大統領・副大統領・首相がサミットに参加した国々の数は23ヵ国であった。第１回目を下回り、第２回目参加国のおよそ約半分程度でしかない。

第２回サミットでは、習近平主席の主宰で各国首脳参加の円卓会議が盛大に催され、会議後には共同声明も発表された。しかしながら、昨年の第３回サミットでは円卓会議は見送られ、共同声明の発表もなかった。国際会議であるはずのサミットは結局、習近平一人が自画自賛の演説を行うという〝不毛〟なものとなった。

さらに注目すべきは、第１回、第２回サミットに首脳を参加させた欧州、アジアの重要国が昨年の第３回には首脳級を派遣しなかったことであろう。

第１回目の２０１７年サミットにはフィリピン大統領、マレーシア首相、スイス連邦大統領、イタリア首相、スペイン首相、チェコ首相、ギリシャ首相、ポーランド首相が参加した。ところが昨年のサミットには、この8ヵ国からの首脳級出席は一切なかった。

第2回目のサミットには、第1回目参加の前述の8ヵ国首脳以外に、ポルトガル大統領、シンガポール首相が出席したが、昨年のサミットにはこの両国からの首脳級の参加はなかった。

東南アジアの主要国であるフィリピン、マレーシア、シンガポールのみならず、イタリア、スイス、スペイン、ポルトガル、チェコなど欧州各国はそろって首脳級の参加を見送った。欧州からの唯一の首脳級出席はハンガリーのみという寂しいものになってしまった。

一帯一路は関係する欧州諸国のほぼ全員から見切りをつけられただけでなく、東南アジアからも離脱国が出始めている。

一帯一路は中国の経済覇権の樹立と、習近平自身が世界の大指導者を〝演じる〟ための舞台を目指して提唱、推進されてきた。「習近平の、習近平による、習近平のためのもの」だった一帯一路の無残な凋落ぶりを、バカ殿自身はどう受け止めているのだろうか。

終章

外務大臣をめぐる暗闘

老獪な王毅に手を焼く習近平

全人代記者会見の場で「元祖戦狼外交官」の姿をさらけ出した王毅外相

ここまで現代中国の皇帝となった習近平氏の異様なまでの独裁専制を解説するとともに、そこから陰画的に浮かび上がる習政権の危うさについて紙幅を費やしてきた。

いま皇帝習近平がもっとも頭を悩ませているのは、これまで親露抗米からの〝路線修正〟が捗々《はかばか》しくないことであった。

本年3月7日、全人代の開催に合わせて、中国の王毅外相は内外記者会見を行った。先に申し上げたとおり、首相による恒例の記者会見が事実上〝廃止〟されたなか、王外相の会見は海外からもおおいに注目を浴び、今回の全人代のハイライトでもあった。

王外相は内外記者団から合計21にわたる質問に対し、1時間半にわたって応じた。ただし中国の場合、どの記者からどういう質問が発せられるのか、また質問の順番について中国外務省により仕切られている。

そして当然ながら王外相の応答についても、外務省は事前に承知していることから、当該会見を聞けば、今後の中国外交の基本方針が分かることになっている。

質問のトップバッターに立ったのは中国中央テレビ局の記者で、「過去1年の中国外交の業績」について尋ねた。王外相はそれに対し、「習近平外交思想は素晴らしい。習主席の展開する大国外交は卓越している」と延々と称揚した。

人民日報記者の出番を3番目に回して、急遽2番目の質問者となったのはロシア国際通信社の記者であった。彼は中露関係について質した。

王外相は我が意を得たりといった表情をうかべ、「永久なる親睦友好の堅持と全面的戦略協力関係の深化」という表現を用いて、両国間関係を高く評価した。

ロシア記者の指名順位繰り上げにしても、王外相の回答にしても、対露関係は今後の中国外交の基軸となり、習政権にとっての最重要な国家間関係となっていくことがよく分かった。

質問4番手に立ったのは米国ブルームバーグ社の記者で、質問は当然、米中関係についてであった。それまで穏やかな顔で応じていた王外相は態度を一変、剣呑《けんのん》な表情をつくって言った。

「米国の中国に対する誤った認識がいまだに続いている。米国が中国にひたすら圧力を加えれば、最終的に必ず自らを害する」と批判，牽制し、きわめて強い口調でこう続けた。「米国に大国としての信用はあるのか！。米国に大国としての自信はあるのか！。米国のやり方に公平性はあるのか！」

筆者は文化大革命時の〝人民裁判〟の場面を目撃した一人であるが、あのときを彷彿《ほうふつ》とさせるような王外相の口調であった。

このように対米関係のテーマになると、王外相は超強硬姿勢に豹変し、「元祖戦狼外交官」の姿をさらけ出す。

そして、ロシアからの記者に対して語る対ロ関係の内容と、米国からの記者に対して語る対米関係の内容を比較してみれば、「親露抗米」が依然として政権の基本的外交方針であることが分かった。

親露抗米戦略を放棄した習近平国家主席

しかしながら、2022年秋の党大会後、習近平主席自身は2回ほど外相人事をいじることにより、親露抗米から〝路線修正〟を図ったことがあった。

1回目は2022年12月、党大会閉幕の2ヵ月後のことだ。習主席は突如として、王毅外相をもう一つの外交担当トップである外交部長に就任させた上で、当時の駐米大使の秦剛氏を新たな外相に任命した。これは異例のタイミングといえた。本来、新外相をはじめとする新大臣の任命や更迭は翌年3月の全人代で行うのが慣例であったのに、習主席は大急ぎで発令した。

なぜそうしたのか？　やはり従来からの親露抗米路線から脱出し、対米改善を図りたかったと思われた。実際、駐米大使だった秦剛氏は外相就任後、習主席の意向を受け、さっそく動きだした。

彼は外相就任2日後の23年元旦、米国のブリンケン国務長官と電話会談で新年の挨拶を交わした。同時に「米中関係の改善と発展」に期待を寄せた。それから8日後の1月9日になってはじめて、秦外相は今度はロシアのラブロフ外相との電話会談に臨んだ。加えて秦外相は同日、パキスタン、韓国の両国外相との電話会談を行った。

一連の秦剛外相のアクションは、「中国はロシアとの関係を特別視しない」、「中国は米国を特別に扱い、ロシアはそうではない」といった中国側の〝新外交方針〟を物語っていた。

当時の中国側の公式発表では、秦外相が1月9日にロシアのラブロフ外相と電話会談したのは、「ロシア側の要請に応じたもの」であったという。ロシアから要請がなければ、同電話会談は実現しなかったかもしれないと仄《ほの》めかしていたのだ。中国側のそうした発表はロシアとの距離感を示す狙いがあったようだ。

中国外務省による公式発表では、秦外相はラブロフ外相と電話会談のなかで、「中露関係の高レベルの発展」に一定の意欲を示した。だが、その一方では、「中露関係が成り立つ基礎」として「同盟しない。対抗しない。第三国（米国を意味する）をターゲットとしない」というわゆる「三つのしない方針」を提示した。

ところが、秦外相が示したこの対露外交「三つのしない」方針は、実は2021年以来継続していた習政権の対露外交方針からの〝大転換〟を意味していた。

2021年1月2日、当時の王毅外相は人民日報からのインタビュー取材において、「中露間の戦略的協力は無止境、無禁区、無上限」と言及した。続けて、中国はロシアとの間で軍事協力、同盟関係の結び付きを含めた、まったく無制限の関係強化に対する意欲を強く示した。

まさに王外相が示した、いわゆる「対露三無方針」の取り消しとして、新外相の秦氏が前述の「三つのしない方針」を打ち出したわけであった。これを新外相になったばかりの秦氏が主導することはあり得ない。当然習主席の意向を受けたものであり、習政権はこれまで数年間にわたる「親露抗米」戦略を放棄したわけだ。

習主席は米国との関係改善を図る一方、ロシアとの親密すぎる関係を見直す方針に転じたと理解できよう。前駐米大使の秦剛氏を新外相に任命したのは、この外交方針大転換の一環であった。

王毅にはめられた秦剛

そして秦剛氏は外相就任早々、早速一連の電話会談をもって、この新方針を実行し始めた。

それ以来半年間、秦外相はおおむね習主席の方針に従い、ロシアと一定の距離を保ちながら対米改善の外交を推進した。それが中断となったのが昨年7月であった。習主席が突如、自ら任命した秦外相を〝解任〟したからである。

この秦外相の解任事件に関してはいまでも謎が多く、全容は解明されていない。これまでの情報から総括的に見れば、やはり王毅とその一派が秦剛の「愛人スキャンダル」を米国の対中スパイ工作と関連付けて習主席に報告したことの結果ではないだろうか。筆者の私見だが、愛人スキャンダルのみでは秦剛は失脚をまぬがれたかもしれない。だが、愛人にスパイ容疑がかけられたのは致命傷となったと思われる。

いったんは外相の地位を若手エリートの秦剛に譲ることになった王毅は、秦剛を〝はめる〟ことで、習近平による新外相人事を潰した。秦剛解任の結果、王毅は外相の地位に返り咲き、外交部長を兼任することに。

このように一度退任した外相が再び外相にカムバックした例は、中華人民共和国の歴史上初めてのことであった。これもまた筆者の見立てであるが、習近平主席は自らが行った外相人事を王毅に見事に潰されたわけで、この時点での〝敗者〟は習主席と言っていいだろう。逆に外相に復帰し、外交部長兼任となった王毅は勝者であろう。

そして外相復帰が正式に発表された前日の昨年7月24日、王毅は訪問先の南アフリカでロシア高官と会談を行った。そのなかで王毅は次のように語った。

「中国とロシアはこれから一層の戦略的意思疎通を図り、共同で米国の覇権・強権に反対していく」

要は、秦剛前外相が唱えたことと正反対の対露外交を呼び掛けたのである。外相復帰と同時に王毅は直ちに「親露抗米」路線の復活を宣言した。この時点で習主席が模索した親露外交からの路線修正、対米改善策が一気に覆されてしまった。独裁者の習近平は結局、臣下の王毅との駆け引きに負けたことになった。

幻と消えた対米改善外交

外相人事の交代について習近平がもう一度模索したのは、2024年に入ってからであった。

1月24日、中国共産党対外連絡部の劉建超《りゅうけんちょう》部長は、新たに駐中国日本国大使となった金杉憲治氏と北京にて会談した。それに先立ち、金杉憲治大使の赴任直後の1月12日に中国外務省の孫衛東《そんえいとう》外務次官と会談を持ったので、金杉大使にとり中国高官との会談は劉建超部長が二番目となった。

筆者はこの金杉大使と劉対外連絡部長の会談に着目した。会談の開催自体が腑《ふ》に落ちなかったからである。なぜか？　劉氏の所属は共産党対外連絡部。ここは中国共産党が外国の政党や政治団体に対して、例えば日本の公明党や昔の社会党に対して〝中国共産党外交〟を行うための部門だからだ。

したがって、新任の金杉憲治大使の本来の会談相手は中国の外交トップ（外交部長兼外相）の王毅であったはず。劉対外連絡部長が会談に臨んできたのは、まったくの越権行為といえる。また王毅にすれば、自分の縄張りを侵す行為ではなかったか。

もちろん党内地位は、政治局員の王毅より断然下の劉氏がこのような無礼な行為に出ることが許されたのは、強力な後ろ盾があったからに違いない。それが習主席であった可能性大であろう。

この一件を筆者はこう捉えていた。この時点で、習主席は劉建超氏を王毅に取って代わる外相に据える肚を決めていた。補足すると、中国共産党対外連絡部の劉建超部長はもともと外務省の幹部。王毅が外相になってから、外務省から離れた（追い出された）という経緯がある。

もし習主席が王毅氏により外務省を追い出された劉建超氏を外相の座に引き上げるならば、習主席にとっても劉建超氏にとっても復讐《ふくしゅう》人事、おおいなる意趣返し人事となろう。

むろん習近平氏が模索する外相の交代人事は、王毅外相の下で進められている親露抗米路線からの脱出を意図するものだ。

実際、劉建超氏はそれを匂わせるアクションを起こしていた。彼は本年1月8日から訪米し、ブリンケン国務長官をはじめとする米高官と会談を重ねた。そのなかで劉氏は「米中両国は敵ではない」と語った。また、米国での講演では「中国は米国に取って代わる新秩序の構築を目指さない」とも語り、腰を低くして米中改善をおおいに訴えた。

ここで先刻記した筆者による「劉建超外相就任説」が俄然《がぜん》真実味を帯びてきた。なぜなら、党対外連絡部・劉建超部長のカウンターパートとしてブリンケン国務長官が登場してきたからだった。つまり、米国側が劉氏に対して中国外相級の待遇を与えたという事実である。

劉建超を次期外相に起用することを決めた習近平主席が、「事前に米国高官との意思疎通を深めてこい」と命じたことは十分考えられよう。

習近平は本来ならば本年3月の全人代において外相交代を行い、劉氏を新外相にし、新外相の記者会見を通して、対米関係改善をアピールすべきであった。かねてより全人代はそういう〝場〟として機能してきた。

だが、実際には外相交代は行われず、筆者にはかなり意外な展開であった。なぜ劉建超外相は誕生しなかったのか。真相は杳《よう》として知れない。

COLUMN

愚かな君主と老獪な権臣

昨秋、2度目の外相に返り咲いた王毅氏は現在70歳の高齢。本年の全人代を経て、引き続き外相の椅子に座り続けることになった。

これで彼は中国歴代12名の外相中、在任期間の長さにおいて2番目となるのは確実になった。数字を挙げると歴代平均在任期間の5年をはるかに超える11年となる。

ひるがえって、習近平主席は絶対的独裁者でありながら、本項で紹介したとおり、これまで外相交代を2回模索し、失敗を重ねた。

1回目は秦剛を王毅の後釜に据えたが、王毅側の策謀のために頓挫し、王毅の外相復活を許した。そし2回目は劉建超対外連絡部長を外相に推したけれど、思惑どおりにはならなかった。習主席は今後も王毅を外相として使うしかない状況に陥っている。

これで王毅は事実上、中国外務省のドンとなり、中国外交を牛耳ることになった模様だ。ある意味、王毅外相は中国史に残る人物なのかもしれない。

一方、習近平主席は自らが模索し決定した外交方針「対米改善」への転換につまずいた。一部下でしかない王外相の抵抗にあって頓挫し、皇帝でありながら、一臣下に振り回された格好である。

いわば習近平外交は結局、現時点では親露抗米路線を崩さない王外相にしてやられ、この状況はしばらく続くだろうと思われる。

中国の歴史上、愚かな君主の心の底と人間的弱点を見抜き、恭順の意を装いながら君主を手玉にとり、わが権勢をふるうという老獪《ろうかい》な権臣がたびたび現れる。どうやらいまの王毅は、その典型的な一人であるようだ。

ひるがえって、臣下に振り回される愚君が失政し、やがて天下を失って亡国の君となるケースもある。習近平国家主席もこのような愚君の一人になるのであろう。

おわりに

2月22日、中国共産党中央委員会は「中国共産党巡視工作条例」の改訂版を公布、党員全員に遵守を求めた。その内容がことさらに異様であった。

巡視工作条例の巡視とは何か？

党中央から巡視チームをはじめとする要員を派遣し、各地方党委員会などの党組織の仕事ぶり（地方幹部の腐敗、地方経済の進展、大衆の生活ぶり）などを考査・監視し、指導を行うことであるが、今回、これが改定された。

改訂版条例は第2条で巡視の根本的任務について、「習近平総書記の党中央の核心・全党の核心としての地位を守ること」が明記された。

つまり、中央から各地方に巡視チームあるいは巡視要員を派遣する最大の目的は、各地方の党幹部たちの習近平に対する〝忠誠心・服従度〟をチェックし、考査することである。

ここからにじみ出てくるのは、独裁者の習近平が各地方幹部たちの自分に対する忠誠心がいかほどかを常に疑心暗鬼になっている。いやそれ以上に、定期的に忠誠心を確認しなければ不安に駆られるほどの〝異常心理〟に陥っていることだ。

その異常さは、習近平が地方幹部たちを評価する際の決め手にも反映している。それは地方経済や人民の生活を安定させる政治能力ではなく、習本人に対する忠誠度に他ならない。

中国の最高指導者がこのような状況にあっては、地方幹部たちは地方の経済振興など本来の仕事に落ち着いて取り組むのは困難であろう。常に中央からの監視の目を意識しながら、あらゆる手立てを講じて自らの忠誠心を示さなければならないのだから。他の事柄は二の次、三の次で、忠誠心を前面に掲げなければ己の身が危うい。

けれども逆に考えるならば、習近平に己の忠誠心が届くならば、己が管轄する地方のことはどうでもいいのではないか。残念ながら、中国全土の地方政府には上記の風潮が広がり、機能不全に陥りつつある。

2月27日の人民日報は第一面で、共産党中央政治局員・書記処書記など主要幹部〝全員〟が習近平総書記に対し書面による業務報告を行ったと発表した。

これは習近平政権二期目以来、習近平の最高指導部における突出した地位と絶対的権威を示す毎年の恒例行事となった感がある。

人民日報の発表によると、習総書記は各人の発表に対しさまざまな要求を突き付けたが、そのなかで習氏は全員に対し、「二つの維護の実行」を求めた。この二つの維護とは習近平政権下の新造語で、「習近平総書記の党中心の核心・全党の核心としての地位を守ること。党中央の権威と集中的指導を守ること」である。

先にも記したとおり、習近平はここでも共産党指導部全員に対し、習近平自身を〝維護（おれを護れよ）〟することを求めているわけである。まあ、厚かましいにも程がある。

考えてみれば、現在の共産党指導部のメンバーたちはほぼ全員が習近平の取り巻き・子分・擁護者なのだ。にもかかわらず習近平は彼らに対し、自分への忠誠をくどいほど求めていることは、もはや習近平は誰も信用していない、側近すら信用していないことの証左でもある。

これは彼が独裁者につきものの〝不安の病〟に陥っていることを物語っている。

先刻の「巡視条例」の話と同様、習近平は自分の地位を守るのに異様に神経質になっており、それが彼にとって最大の政治的関心事なのだ。

こうした異常なる不安の解消のため、習近平が対外的冒険にふみ込むことに、国際社会はおおいに警戒しなくてはならない。だが、その逆もありえると筆者は思う。習近平が対外進出よりも中国共産党内部の粛清や政治闘争に専念する可能性はかなり高いのではないか。

歴史は繰り返すのかもしれない。習近平が範とする毛沢東がそうだったからだ。文化大革命の10年間、毛沢東は自分自身を守るために共産党内部の権力闘争に明け暮れ、エネルギーのほとんどを〝内ゲバ〟に注ぎ込んだ。

読者諸氏よ、思い返してほしい。そのときの中国は半鎖国状態で近隣国と国際社会にとって大きな脅威にならずに済んでいた。

今後の中国も是非、習近平閣下の英明なる指導下で、習閣下が範と仰ぐ先達毛沢東と軌を一とする方向に進んでいただきたいものである。

【著者略歴】
石平（せき・へい）
1962年中国四川省成都市生まれ。1980年北京大学哲学部入学。1983年頃毛沢東暴政の再来を防ぐためと、中国民主化運動に情熱を傾ける。同大学卒業後、四川大学哲学部講師を経て、1988年留学のために来日。1989年天安門事件をきっかけに中国と「精神的決別」。1995年神戸大学大学院文化学研究科博士課程修了。民間研究機関に勤務。2002年『なぜ中国人は日本人を憎むのか』を刊行して中国における反日感情の高まりについて先見的な警告を発して以来、日中問題・中国問題を中心に評論活動に入り、執筆、講演・テレビ出演などの言論活動を展開。2007年末日本国籍に帰化。14年『なぜ中国から離れると日本はうまくいくのか』(PHP) で第23回山本七平賞を受賞。著書に『やっぱり中国経済大崩壊！』『中国経済崩壊宣言!』『習近平・独裁者の決断』『私たちは世界で中国が一番幸せな国だと思っていた』（ビジネス社)、『中国の脅威をつくった10人の政治家』(徳間書店)、『「天安門」三十年　中国はどうなる?』(扶桑社)、『なぜ論語は「善」なのに、儒教は「悪」なのか』(PHP) など多数ある。

編集協力／加藤鉱

「中国大恐慌」時代が始まった！

2024年5月1日　第1刷発行
2024年6月1日　第2刷発行

著　者　石　平
発行者　唐津　隆
発行所　株式会社ビジネス社
〒162－0805　東京都新宿区矢来町114番地　神楽坂高橋ビル5F
電話　03－5227－1602　FAX 03－5227－1603
URL　https://www.business-sha.co.jp/

〈カバーデザイン〉中村　聡
〈本文DTP〉茂呂田　剛（エムアンドケイ）
〈印刷・製本〉モリモト印刷株式会社
〈編集担当〉本田朋子　〈営業担当〉山口健志

ISBN978-4-8284-2622-8

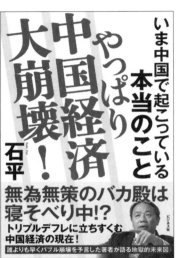